# PROJET DRAGON

Dépôt légal : octobre 2019
Copyright Realities Inc.
ISBN : 979-10-95442-45-5
Crédits image de couverture :
depositphotos/A_Petruk
Shutterstock/Bruce Rolff

Realities Inc.
2, rue des Promenades
22000 Saint-Brieuc
www.realities-inc.com

# SEBASTIEN MORA

# PROJET DRAGON

REALITIES INC.

*Les lamas-garous sont parmi nous,*
*et mon déni s'est fait la malle.*
*Spéciale dédicace et grands mercis*
*à mon équipe des Imaginales*
*(you know who you are)*
*et tout particulièrement à Amou et Pamiel*
*(vous savez pourquoi :D ) !*

# SOMMAIRE

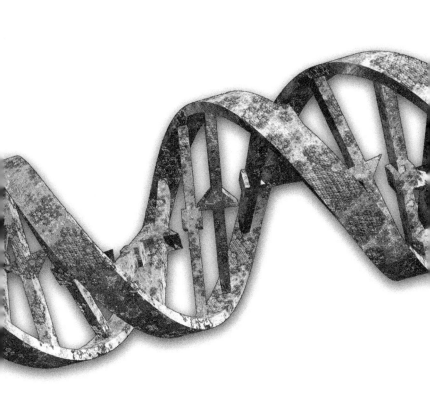

# UN HERITAGE DRACONIQUE

23 Agrial 1126

Nouvelle mission, nouveau voyage.

Hormis les quelques stations balnéaires d'exception du golfe de Riviera, ma destination était loin d'être le pays idéal pour les agences de tourisme. Car, pour cette prospection un peu particulière, me voici parti rendre visite à nos voisins du Drannyr – où mon employeur n'était pas la RCE, mais la Grip Corp, principal métallurgiste du pays et l'une des très rares entreprises indépendantes qui survivent dans cette nation privatisée.

Ah, la RCE… Un panneau à la frontière met très vite les choses au point :

ATTENTION
Vous entrez en Drannyr, propriété de la Raclaw
Compagnie d'Énergie
Le port d'armes et les parasciences sont prohibés
Toute activité économique non agréée sera punie
Toute dégradation est une dégradation du matériel de la
RCE et sera punie comme telle.

Quand on voit les ravages que peuvent faire des entreprises dans l'économie dérégulée du Darromar, je n'osais imaginer les dégâts quand l'une d'entre elles contrôlait tous les aspects de la vie d'une nation. Pourtant, cela fait plus de quarante ans que la RCE – portant fort modestement le nom de son égocentrique fondateur Anton Raclaw – dirige et possède un pays entier. Deux générations plus tard, ceci est tellement rentré dans les mœurs que tout le monde appelle le Drannyr « RCE » plutôt que par son nom historique…

Sur la seule voie ferrée qui relie nos deux pays, joignant les capitales au rythme de deux trains par jour (sans compter les convois de marchandises), le passage de la frontière a posé l'ambiance. Quand le train a ralenti pour traverser au pas les deux kilomètres du no man's land, avec ses barbelés, ses miradors, et son étendue sauvage saupoudrée de mines, un silence pesant est tombé dans mon wagon pourtant déjà calme, car peu bondé.

A suivi l'arrêt au poste-frontière de la RCE. Des douaniers sont montés, ont fouillé les bagages, et pris le temps d'interroger tout le monde – de manière courtoise mais parfois insistante (« Redites-moi pourquoi vous venez en Drannyr, madame », ont-ils demandé pour la énième fois à une pauvre grand-mère). Et dire que mon voisin, un commercial qui passe régulièrement la frontière, m'assurait que la fouille était laxiste ici, comparée à celle qu'ils font subir à ceux qui transitent en voiture ! Pour sûr, ils ne m'ont pas embêté très longtemps ; je voyage léger, et le contrat signé avec la Grip Corp, ainsi que l'autorisation de transit validée par le service « relations extérieures » de la RCE, leur ont apparemment suffi.

Quand nous sommes finalement repartis, ce fut comme si j'avais entendu un énorme soupir collectif de soulagement résonner dans le train entier. C'est confirmé, nous arrivons sur le territoire d'une abomination combinant les pires aspects d'une corporation capitaliste et d'une administration totalitaire. Pas que mon Darromar natal soit un modèle d'égalité – aux riches entrepreneurs les mains pleines, les autres démerdez-vous – mais on y est libre, et les communes autogérées foisonnent dans la cambrousse.

Ensuite, aucun incident notable jusqu'à Spalan, la capitale. On voit bien que ce rapide et rutilant train transfrontalier sert un peu de vitrine, pas comme les trains régionaux décrépits qui circulent à l'intérieur des frontières et que nous avons croisés de temps en temps.

Ce pays est pourtant riche. Son mélange très particulier de protectionnisme forcené et d'exportations agressives l'a bien servi durant la catastrophe bancaire de Brumaire 1091, et son économie est restée relativement stable alors que le reste du monde s'enfonçait dans la crise et les guerres.

Trente-cinq ans plus tard, alors que nous sommes enfin sortis des derniers conflits, ils sont toujours campés sur leurs richesses, dont il est criant qu'elles ne profitent pas à tout le monde.

Bref, ce n'est pas un voyage de rêve, mais j'en avais vraiment ras le bol de moisir au bureau à traiter des données (la partie inintéressante du boulot) ; oui, cela fait plaisir d'être de nouveau sur la route !

*

La gare de Spalan est un immense édifice mêlant de manière assez baroque vieille architecture du début des chemins de fer et designs ultramodernes en verre, métal et béton. Les pas des passagers, toujours pressés et nerveux, y résonnent alors que des pigeons volettent à la recherche de quelques miettes. Rien que de très normal. On y croise des patrouilles militaires, armées et menaçantes, dont on a instinctivement envie de se méfier – et j'ai pu noter que les gens du cru les évitaient et passaient au large autant que possible.

Étant un ressortissant étranger, j'ai dû pointer au « service de l'immigration », comme la plupart des autres voyageurs. Quelques-uns se sont esquivés – des locaux, ou des amateurs de risques inconsidérés ?

Les bureaux – lino neuf et alu brillant, armoires vomissant des piles de dossiers – dominaient les voies ; l'air conditionné y puait l'angoisse et la clope froide.

Signer le registre et les diverses autorisations m'a pris plus d'une heure : le temps de patienter que les fonctionnaires s'occupent des personnes avant moi (sans problèmes, pour ce que j'en ai vu), puis que je réponde à mon tour à beaucoup trop de questions, plus ou moins indiscrètes, en particulier sur mon parcours de prospection. Ils ont de nouveau fouillé mes affaires, puis m'ont heureusement laissé partir peu après. Sans interrogatoire supplémentaire, ni examen médical approfondi ; encore une fois, avoir toutes les autorisations à jour et en double exemplaire m'a bien aidé.

Une fois mes affaires posées à mon hôtel, situé non loin de la gare, je suis sorti déambuler un peu. Le jour déclinait alors qu'une petite bruine tombait irrégulièrement, drapant tout sous un voile d'humidité persistante.

Le boulevard ne voyait passer que quelques voitures pressées, qui ne s'arrêtaient qu'aux feux rouges et pas devant les boutiques – dont beaucoup étaient fermées.

J'ai bifurqué et me suis enfoncé à travers les petites rues du quartier de la Vieille Ville, cœur historique de Spalan. J'ai cru avoir remonté le temps ; je me retrouvais comme il y a un bon demi-siècle, la décrépitude du temps passé en plus.

Encore une fois peu de passage, quelques gens pressés, aux regards souvent méfiants – et qui, tellement surpris quand je disais bonsoir, ne s'arrêtaient pas et se carapataient, moroses silhouettes craintives. Exception confirmant cette triste règle, un groupe de jeunes fumaient et riaient sous un porche, ne se préoccupant pas de la patrouille de police qui passait à côté. Celle-ci – aux uniformes bien briqués – m'a laissé tranquille, même si j'ai senti leurs regards appuyés. Être un éternel curieux qui se balade nez en l'air n'était, pour sûr, pas très bien vu par ici.

Un charme désuet, très poignant, émanait de ces vieilles pierres, de ces petites rues tortueuses aux trottoirs craquelés, où de petites flaques s'accumulaient un peu partout. Certaines façades dataient du Moyen-âge, d'autres semblaient plus récentes ; mais le calcaire gris clair constituant leurs murs était toujours plus ou moins noirci par la pollution – sauf exception, bien sûr, car je voyais quand même que certains propriétaires tenaient à entretenir leurs bâtisses.

Même la belle et impressionnante cathédrale Sainte-Biddle, qui a traversé toute la Domination Draconique intacte, semblait noyée sous une couche de crasse (historique elle aussi, j'imagine). La pluie qui s'intensifiait doucement la couvrait petit à petit sous un brouillard d'oubli, diluant les sons environnants dans un écho commun avec le flot de la rivière Dunkel, qui coulait non loin derrière.

Sur la place du parvis, mal éclairée par les quelques lampadaires fonctionnant encore, je me suis acheté un panich (le jambon-beurre local, mais avec pâté et salade). L'homme allait bientôt fermer, me disant qu'à cette heure-ci, il n'y aurait plus personne.

Les frites étaient trop grasses, et l'huile de cuisson un peu rance, mais ça m'a fait du bien.

J'ai terminé mon petit tour à la nuit tombée, en passant par les quais de la Dunkel. Ceux-ci étaient encore magnifiques, malgré le QG des tyrans du pays qui dominait au sommet de la falaise bordant l'autre rive (ils y avaient en cours, même à cette heure tardive, un énorme chantier).

Oui, quel gâchis. Je suppose qu'entretenir et restaurer la Vieille Ville ne serait pas rentable, voire pire, subversif – cela pourrait rappeler aux gens d'ici qu'il y avait un passé avant la RCE…

Pour passer le temps dans ma chambre, j'ai voulu regarder la télé. Trois chaînes en tout et pour tout, dont deux appartiennent à la corpo, et la troisième ne semble avoir eu l'autorisation d'exister que grâce à sa servilité abjecte envers le pouvoir en place. Bien entendu, aucun moyen de capter une chaîne étrangère. J'ai vite éteint le poste et ai revu mes publications techniques pour l'entrevue de demain.

Dormir dans l'ombre – même distante – du siège de la RCE n'était pas agréable.

*

24 Agrial

Les bureaux de la Grip Corp sont situés non loin du complexe RCE, sur le plateau qui domine Spalan.

Passés les portiques de sécurité et la fouille réglementaire, les responsables du service prospection m'ont reçu très cordialement. Nous avons discuté de ma mission autour de quelques cafés, dans une petite salle de réunion. Murs d'un blanc grisâtre décorés de photos « artistiques » de leurs usines, pas de fenêtres, du parfum d'ambiance type

« fleurs sauvages », une plante en plastique… Rien que de très normal, mais je m'y suis senti mal à l'aise et un peu coupé du monde.

Très vite, nous parlions business. Du fer – quel qu'en soit le minerai – voilà ce qu'ils voulaient. Le chef de projet qui s'occupait de notre entrevue était réservé mais sympathique.

« Nos dernières mines dans les Manganes sont en voie d'épuisement, et nos prospecteurs n'ont rien trouvé. Je ne suis pas sûr qu'un contrat de trois mois puisse vous suffire à explorer tout le flanc drannyréen de ces montagnes, mais nous n'avons pas négocié plus avec les Relations extérieures pour le moment. Si vous avez besoin de documents supplémentaires, nos archives vous sont ouvertes, mais vous sembliez dire que notre équipe en Darromar vous avait déjà transmis tout ce que vous souhaitiez.

— Effectivement. Vous me confirmez que j'ai carte blanche pour les méthodes de recherche ?

— Oui, et nous ne voulons rien en savoir. Nous connaissons vos résultats – c'est pour cela que nous avons fait appel à vous – et c'est tout ce qui nous intéresse. Le matériel nécessaire vous sera fourni avec la voiture. »

Je les ai bien prévenus que je ne remplaçais pas forcément une campagne de sondages, et que les gisements, si j'en trouvais, risquaient d'être peu accessibles ou en profondeur.

Mais d'un négligent signe de main, il enchaîna sur des choses autrement plus sérieuses.

« Veuillez nous excuser pour la fouille à l'entrée, nous devions nous assurer que vous n'aviez pas de micro espion sur vous. Ici, nous ne risquons rien ; il n'y a aucun mouchard et les murs de cette pièce ont été traités au gorgonium. Nos omniprésents amis n'ont pas à tout savoir… Notre agent vous l'a dit, nous avons beaucoup apprécié votre analyse de la publication de M. Nédéchez.

— "Le secret des Dauvinach", cita alors un autre cadre qui était resté silencieux jusque-là.

— Précisément, reprit mon interlocuteur principal. Vous prétendez que, grâce aux indications quelque peu cryptiques fournies par ce papier, vous pouvez retrouver l'antre du dragon dont il parle ? »

J'ai hoché la tête.

« Et vous souhaitez que je le fasse.

— C'est exact. Donnez le change aux forces de la RCE avec cette histoire de fer – cela nous arrangerait vraiment que vous trouviez quelque chose, notez bien – mais votre but véritable est la tanière du monstre et son trésor. Ainsi que ses restes bien évidemment, si vous les y trouvez et qu'ils sont exploitables. »

Puis un technicien m'a amené au parking derrière le bâtiment, pour me fournir mon matériel et un véhicule de fonction. Il n'a, comme les autres, débité que des platitudes, jusqu'à ce que nous puissions nous installer dans la voiture, une 4RC-Com, qui est la version tout-terrain de la RCar commerciale standard. C'est le genre de bagnole costaud que j'aime bien, qui m'emmènera presque partout.

« Bien, fit-il quand les portes furent fermées. Cette voiture est clean, il n'y pas de mouchards. »

Après plusieurs rappels sur ma mission, il ajouta :

« Mes supérieurs veulent que j'insiste sur le fait que nous jouons tous gros dans cette affaire et, bien entendu, ils nieront toute implication dans vos activités autres que celles couvertes par le contrat validé par la RCE… J'ai aussi cru comprendre que vous n'étiez jamais venu en Drannyr ?

— Effectivement, répondis-je.

— Alors faites bien attention à ce vous direz et ferez. L'ambiance est vraiment déplorable, ici, avec cette surveillance perpétuelle… C'est dur pour les expat' comme vous et moi, mais tenez le coup, trois mois ce n'est pas si long. »

Il s'est tu, cherchant ses mots.

« Vous savez, les gens sont méfiants, mais plutôt sympas dans le fond. Attachés à leur pays, aussi ; ils vivent dans la peur, n'osent pas dire qu'ils détestent la RCE, mais il ne leur viendrait pas à l'idée de partir. Ils ont pris l'habitude de vivre avec. »

\*

C'est bon, je suis enfin seul et sur la route ! Direction Jaxarts, dernière grande ville avant les Manganes (le nom que les gens d'ici donnent aux montagnes de Dauvinach – barrière naturelle qui les sépare des nains de Kudrikkrag) et donc point de départ de mon parcours de fouilles.

Passé le péage et son inévitable contrôle, le ruban d'asphalte s'est déroulé jusqu'à l'horizon. Ma destination – qui était pourtant, il n'y a encore pas longtemps, la cinquième ville du pays – n'est pas des plus courues, et l'autoroute peu fréquentée. Sur le côté, des champs, quelques bois, une petite ville de-ci, de-là, défilaient alors que la ligne droite s'étirait, encore et toujours dans une régularité figée, sans un virage, sans un changement.

Hormis le paysage qui se faisait doucement plus sec et aride, c'était d'une monotonie incroyable. La somnolence aurait vite pu me prendre, avec la climatisation, l'hypnotique ronronnement du moteur, et le chaud soleil de printemps qui écrasait tout…

Mais non. Il y avait un je ne sais quoi de bizarre. Je ne pense pas que grand monde ait pu ressentir cela, hormis d'autres géomanciens.

Je me suis arrêté à une aire de repos. Assis dos contre un pin, les mains au sol, je me suis plongé en communion avec le flux de la Terre.

Un bourdonnement malsain et désagréable, m'évoquant un flot jaune-brun, résonna en moi. J'ai très vite décroché. Je connaissais cette sensation, pourtant je ne l'avais jamais ressentie ainsi auparavant.

Pas de doutes, cette autoroute est construite sur une ley, une ligne de force géomantique comme il en existe tant à travers le monde. Évidemment, elle ne serait pas la première, mais ici la ley est pervertie d'une manière ou d'une autre. Au lieu de vibrer d'une saine énergie porteuse de vie, on aurait dit un torrent nauséabond fonçant droit vers Spalan.

Étrange et inquiétant. Mais je n'ai osé pousser mes investigations plus avant, n'étant pas seul sur le parking.

Rien à voir avec la raison de ma présence ici, certes, mais c'était trop étrange pour que je ne m'y intéresse pas.

*

Jaxarts... Nous la surnommions DLC – pour Dead Lake City – avec mon boss Tuomas, quand nous préparions cette expédition. L'ironie grinçante de cette référence au jeu vidéo culte du même nom – oui, nous en sommes deux fans – et à sa ville fantôme en plein désert nous faisait ricaner.

J'ai été estomaqué de voir à quel point nous n'étions pas loin de la vérité, car Jaxarts a été en bonne partie abandonnée et n'est plus que l'ombre d'elle-même. Nombreux sont les immeubles ou maisons inhabités, voire qui tombent en ruine... C'est flagrant dans l'ancien quartier du port ; les docks s'avancent dans le vide, le vent chaud et sec siffle en traversant les entrepôts désertés, et des carcasses de bateaux rouillent et se désagrègent, échouées là où plus aucune eau ne vient les porter.

Voilà le problème : le lac de Kaema, qui faisait vivre une bonne partie de la ville, a disparu. Enfin, *presque* disparu ; son niveau a baissé d'au moins vingt mètres, et il n'est maintenant plus qu'une petite étendue d'eau perdue au fond de l'immense cuvette qu'il occupait auparavant. D'après la presse de chez moi, c'est à cause d'un trop fort drainage pour l'agriculture.

Si c'est le cas, ils ont réussi à scier la branche sur laquelle ils étaient assis, car je n'ai pas vu beaucoup de champs verdoyants dans le coin, alors que nous sommes au printemps !

J'ai acheté un appareil photo jetable (ils vendent encore de l'argentique ici !), pris quelques clichés et porté le tout à développer.

*

À l'hôtel, j'ai trouvé un dépliant typique de la propagande RCE.

Une illustration pas très bien faite montre un vilain magicien nain (au sourire forcément maléfique) qui ordonne à une créature magique (ressemblant à un petit dragon) d'attaquer une pauvre famille sans défense. Légende : « Les parasciences sont l'ennemi ! Protégez-vous, dénoncez les sorciers ! ». Sur l'autre face de ce joli torchon, des adresses d'urgence, des recommandations de base, et encore et toujours des appels à la dénonciation. Il ne manque que la sorcière sur son bûcher pour que l'imagerie soit complète.

Ce mot… « Parasciences » ! Comme si la magie, la géomancie, les arts nains et tant d'autres étaient moins que rien ! Oui, la Domination Draconique a été traumatique ; oui, les Dragons sont les maîtres de l'arcane ; mais la magie fait partie du monde… Comme n'importe quelle arme ou outil, qui peuvent être dangereux mal utilisés. Mais j'imagine que le pouvoir en place n'a pas autant de scrupules.

Ce lac, maintenant lointain, me laissait une sensation étrange. Mon intuition me soufflait qu'il y avait quelque chose de surnaturel dans le secteur… et c'était déjà le deuxième truc pas net de la journée !

C'est tout moi, ça. À peine parti sur une nouvelle mission, que je m'intéresse plus à l'environnement qu'à mon boulot proprement dit.

*

27 Agrial

Après trois jours passés à explorer la cuvette du lac pour l'étudier, je n'étais pas fatigué, mais carrément vidé. Rien qu'un goût de sable et de poussière dans ma bouche asséchée, malgré les litres d'eau que j'avais bue. On ne se croyait pas au printemps, et je n'osais imaginer l'été ici.

Tout est chaud, sec, mort ; le vent ne porte que des odeurs de rouille et de poussière. Seules quelques rares plantes s'accrochent désespérément au sable et à la terre aride battue par les vents. Même insectes et araignées sont peu nombreux. Quelques os blanchis apparaissent ici et là, alors que des carcasses de bateaux abandonnés ponctuent l'horizon.

Oh, pour une géologie des évaporites, comme je m'y attendais, c'est le bonheur ! Gypse, sylvine, borax, un peu de sel gemme… Et de la disparite, ce fameux minéral invisible et d'une rareté extrême, qui se trouve ici en quantités impressionnantes – les cristaux peuvent atteindre plusieurs centimètres de long ! J'ai pris suffisamment de notes et récolté assez d'échantillons pour pouvoir pondre un papier là-dessus en rentrant en Darromar.

Sans surprise, la géomancie était très bizarre. Il n'y avait presque pas de réponse, un peu comme un écho de la disparition, de la mort progressive du lac. L'un a-t-il entraîné l'autre ? C'est fort possible, mais dans ce cas la cause naturelle semble peu probable. Je n'ai jamais entendu parler de quoi que ce soit d'équivalent.

Enfin, dans un autre ordre d'idées, je ne serais pas surpris que ce lac soit hanté d'une manière ou d'une autre.

L'orage qui a éclaté ce soir a été plus que bienvenu. Ce déluge a été délassant, régénérant, presque purificateur.

En rentrant en ville alors que la pluie diluvienne martelait ma voiture, j'ai vu que l'une des usines au bord du lac était en pleine activité. Une sorte de brouillard légèrement luminescent, d'une teinte verdâtre peu engageante, l'entourait.

Il y a vraiment des trucs pas nets dans ce pays.

*

28 Agrial

Pas facile d'apprendre quoi que ce soit. Les gens, en général distants et désabusés – pour ne pas dire pessimistes – ne voulaient guère parler à un étranger trop curieux. La bibliothèque locale, quant à elle, était vide de tout intérêt – à moins d'aimer l'Histoire, mais revue et corrigée par les services com » de la RCE.

Je n'ai rien trouvé sur le lac de Kaema, hormis un vieux livre sur les poissons d'eau douce et quelques articles dithyrambiques sur les rendements agricoles depuis l'irrigation intensive. Rien d'intéressant sur les dragons non plus, évidemment. Bah, le « Who's Who des nuisibles passés » était amusant, avec ses portraits caricaturaux et très *premier degré* de la famille draconique qui a régné sur la région. Propagande oblige, on y apprenait qu'ils venaient tous de par delà les Manganes, car envoyés par les nains de Kudrikkrag. J'imagine qu'en fait, leurs antres d'origine étaient simplement quelque part vers les sommets.

Ceci dit, je ne regrettais pas d'être allé y perdre du temps : j'y ai rencontré une charmante étudiante (très mignonne – petite, cheveux châtain mi-longs, un joli visage arrondi…). Nous avons beaucoup discuté, et elle m'a appris quelques détails intéressants. La baisse du niveau de l'eau, plus ou moins régulière depuis la mise en œuvre d'un plan d'irrigation massive, s'est subitement accrue il y a une trentaine d'années, avec l'implantation d'usines de « traitement et pompage » autour du lac – telle celle qui m'avait marqué la veille. Elle aussi a évoqué un nombre suspicieusement élevé de morts inexpliquées, et plusieurs histoires de spectres liées à cette zone…

Vu la hargne qui ressortait régulièrement de ses propos, je me doutais que Sophie n'aimait guère la situation. Des infos probablement biaisées, ou partiales, donc… mais qui cadraient bien avec mes conclusions. Si nous avons été évasifs l'un et l'autre sur nos vies et nos idéaux (pour elle, un réflexe de survie érigé en sport national), je pensais bien que nous avions pas mal d'idées en commun.

Nous sommes ensuite allés boire un verre, puis manger un morceau ensemble. Elle a parlé, à un moment, de partir rejoindre ses parents dans les montagnes. J'ai évoqué la possibilité de me rendre par là-bas… Elle a hésité avant de me demander, timidement, si je pouvais la prendre en stop.

Vu le pays, elle ne pouvait probablement pas se déplacer comme elle voulait.

Beaucoup moins amusant : en rentrant à l'hôtel, j'ai croisé un membre des GEMs, accompagné d'un escadron de policiers. GEMs pour « Groupe Exécutif Militarisé » ; ce sont les troupes d'élite de la RCE, le sommet de la hiérarchie répressive sur le terrain. Ils sont faciles à reconnaître avec leur uniforme brun-rouge, qui m'a toujours rappelé la couleur du sang séché ; leur réputation assez terrible a largement dépassé les frontières du pays. Ils ne m'ont arrêté que pour me demander mes papiers et autres autorisations de voyage. Je les ai toujours sur moi, donc pas de risques de ce côté.

Ils tournent encore dans le quartier. Oh, je ne pense pas qu'ils me surveillent spécifiquement – mais des doutes maladifs naissent vite dans un tel contexte. Sophie pourrait être une délatrice zélée.

Comment les gens d'ici font-ils pour ne pas être fous à cause de la parano permanente ? Moi-même j'aurais envie de me laisser aller – et il y a de quoi. Mais non. Je vais continuer à suivre mon instinct, même si la confiance n'exclut pas la prudence. Quoi qu'il en soit, ça me confirme que je ne devrais vraiment pas traîner ici. Les montagnes et mon boulot m'attendent !

*

29 Agrial

En fin de matinée, je devais retrouver Sophie dans la petite salle enfumée d'un vieux troquet non loin des anciens quais.

Elle n'y était pas seule, et discutait avec un jeune ouvrier, aux vêtements dépareillés – le genre de gars qui, en Darromar, aurait traîné du côté des communes libertaires. Je n'ai pas aimé qu'ils se soient tus quand ils m'ont vu arriver. Cela sentait le truc louche à plein nez – et j'espérais très fort ne pas me planter sur ledit truc louche.

Passées les présentations, je me suis installé à leur table.

Quelques platitudes creuses plus tard, Marco m'a directement interpellé.

« Alors comme ça on s'intéresse au lac et aux usines ? »

Merde. Il me teste ? Flic ou terro ? J'aurais dû venir invisible pour les espionner.

Le barman, pendant ce temps, regardait posément ailleurs.

J'ai répondu le plus tranquillement possible.

« Eh bien… Je suis géologue, et curieux. Alors oui, le lac m'a intéressé.

— Et alors, tu trouves ça normal ? »

Sophie m'a fait un signe de tête pour m'encourager. Son sourire était irrésistible.

« Pas vraiment. »

Je tournais autour du pot, et son pote rechignait.

Je tripotais négligemment ma tasse de café vide quand elle posa ses mains sur les miennes. Le petit picotement que j'ai ressenti ne trompait pas : il y avait de la magie à l'œuvre. On est sensibles à ce genre de trucs, dans ma famille.

« Ne joue pas à ça avec moi, s'il te plaît. »

Je ne pense pas l'avoir dit méchamment, mais il est sûr que je l'ai surprise et inquiétée. Elle a retiré sa main.

La grosse brute derrière le comptoir s'était retournée vers moi et me surveillait de ses petits yeux méchants, prouvant ainsi qu'il était dans la combine. Marco, lui, était sur la défensive, prêt à bondir.

Sophie soupira.

« Je… C'est à propos du lac de Kaema. C'est la RCE qui a fait ça. Je te parlais des usines, hier, mais nous avons des preuves !

— Et… ?

— Ça ne peut pas durer ! Mais nous aurions… enfin, j'aurais besoin d'un coup de main ; je ne peux rien faire de plus, je dois partir me mettre au vert maintenant. Je me disais que… le faire avec toi aurait été cool. T'es pas un de ces gens qui en ont rien à faire du monde qui les entoure… »

Se mettre au vert, hein ? J'ai l'air d'un gentil baba, d'un sympathisant éco-terroriste, c'est ça ? Ça doit être mon « uniforme de prospection » – barbe, cheveux mi-longs, tee-shirt négligé – qui donne cette impression. D'ailleurs, avec ce look d'éternel étudiant, on ne me donne pas mes bientôt trente ans.

Je me suis tourné vers Marco.

« Vous allez faire péter l'usine qui fonctionnait hier ?

— Ça va pas, non ? Nous ne sommes pas des terroristes ! »

Il avait l'air sincèrement outré.

« Leur plan, m'expliqua Sophie, est juste de la saboter efficacement. Que l'usine ne tourne plus pendant longtemps… Une explosion pourrait tuer des employés, des voisins. Nous avons abandonné l'idée. »

Des idéalistes, des vrais, dans un pays pareil ?… Des conditions extrêmes demandent pourtant des réponses extrêmes. M'enfin, c'est eux qui voient.

« OK… Deux choses. Tout d'abord, j'ai réfléchi à ce qui se passe. Je n'ai aucun moyen de le prouver, mais il y a un élément surnaturel à l'œuvre. Que cela vienne de ces usines ou d'ailleurs, je pense que *quelque chose* draine directement l'énergie de la Terre. Donc faites très attention. »

Sophie opina.

« Nous sommes arrivés à des conclusions similaires.

— Ensuite… J'ai peut-être quelque chose qui pourra vous être utile. »

J'ai sorti le cristal de disparité que j'avais sur moi (on ne sait jamais quand ça peut servir) et après en avoir cassé un petit morceau que j'ai gardé, je lui ai donné.

« Cristal d'invisibilité. À faire fondre, comme ça, dans la bouche. »

Il m'a regardé d'un air ahuri.

« Attention, le goût est vraiment ignoble. Prenez-en trop, ça vous rendra malades ; pas assez, et l'effet ne durera vraiment pas longtemps. »

Je lui ai dessiné un croquis pour trouver l'endroit.

« Si vous en avez besoin de plus, c'est par ici ; il faut repérer la poussière déposée sur les cristaux pour la trouver. Oh, et notez bien que ce n'est pas forcément très efficace sur les caméras… »

Je me suis ensuite levé.

« Sophie, je pars à 14h au plus tard. Sois à l'Hôtel Tuesti à cette heure-là, sinon je m'en irai sans toi. »

Après avoir payé mon café au comptoir, je me suis éclipsé aux toilettes. Ils ne m'ont jamais vu ressortir.

La disparite est vraiment fabuleuse.

*

Elle était au rendez-vous, bien sûr.

Passé un nouveau contrôle routier de routine, nous avons filé vers le sud-ouest.

L'aridité, toujours présente, s'est néanmoins faite moins oppressante dès que nous avons mis suffisamment de distance entre Dead Lake City et nous.

Sophie ne parlait pas beaucoup, renfermée dans un silence nerveux. La volubile fille d'hier stressait pour ses amis… et un peu pour elle aussi, je l'aurais parié.

Elle me l'a prouvé en me demandant pourquoi je les avais aidés. J'ai été sincère.

« Ça m'a rappelé de bons souvenirs de jeunesse. Si je n'avais pas eu ce travail… »

Elle s'est un peu détendue. Ce qu'elle ne sait pas, c'est qu'avec mes potes, nous les dynamitions pour de bon, les usines polluantes. Avoir accès à du matos minier a ses avantages.

Nous ne pourrions pas être à Carnole, chez ses parents, dans la soirée. Trop loin, trop de route. Je n'avais pas envie d'un hôtel. Nous aurions pourtant pu prendre des chambres dans n'importe laquelle des bourgades que nous avons traversées, mais je n'ai pas changé. Dès que je pars dans la cambrousse, je préfère le plein air ; et dans notre cas, du camping sauvage dans un coin tranquille était clairement plus discret. Sophie a approuvé.

Je lui ai laissé la tente fournie avec le matos, et je me suis installé sur la banquette arrière de la voiture, à préparer mes itinéraires pour les prochains jours.

Elle est restée longtemps dans la voiture, écoutant la radio dans l'attente de nouvelles, tripotant nerveusement son petit bipeur.

Surpris, j'ai sorti mon téléphone portable – une nouveauté dernier cri en Darromar, et l'un des tout premiers modèles au monde à ne pas avoir d'antenne externe.

« Vous n'en avez pas, des comme ça, ici ?

— Si, ça existe… mais que pour les riches. Mon truc ne sert qu'à recevoir des messages.

— J'imagine qu'on peut te pister grâce à ce machin-là ?

— Théoriquement, non. Il n'y a pas d'émetteur là-dedans, d'après ce qui se dit dans l'underground. Après, je n'ai pas ouvert le mien pour vérifier, ce serait trop flag ».

— Mais si la RCE a accès à l'historique des communications, ils peuvent savoir qui a reçu quoi, non ?

— Sûr, ils savent tout, à qui appartiennent les numéros, etc., mais je l'ai acheté sous un faux nom. »

\*

30-31 Agrial

Sa tension était tellement communicative que je n'ai pas vraiment pu bosser, surtout qu'il a fallu attendre bien après minuit pour que retentisse une petite sonnerie. Nous marchions alors sur les chemins dans la campagne voisine, pour tenter de passer le temps.

« Examen réussi avant les vacances, le cristal a été bonus ! Bonne route, on se recontacte comme d'hab. Biz ! »

Elle n'a pas pu retenir un cri de joie… Puis elle m'a sauté dans les bras.

Quelle fougue dans ce baiser !

Finalement, je n'ai pas dormi dans la voiture, mais sous la tente. Enfin, dormi… C'est un peu tout le problème. Sa passion, son enthousiasme débordant ont passé mes défenses, et je me suis un peu laissé aller. Je me suis cru avec dix ans de moins, et j'ai arrêté de faire gaffe, de tout contrôler, comme un jeune con.

Alors que je ne peux pas me le permettre, vu ce que je suis.

Le lendemain matin, j'ai hésité. Je la plantais là, ou l'amenais chez elle comme si de rien était ?

Elle m'a proposé de continuer à m'accompagner quelques jours, si je le voulais bien.

J'ai répondu oui avant même de réfléchir.

Eh merde, j'étais amoureux. Elle est belle, ma Sophie. Je suis pas du genre à avoir « une femme dans chaque port », mais là j'ai été dépassé par les événements.

J'ai balancé mes doutes par la fenêtre et décidé d'en profiter. Advienne que pourra et on verrait bien plus tard.

Alors que nous serpentions dans contreforts des Manganes, toutes ces collines qui parsèment le sud du Drannyr, nous écoutions la radio. Les commentateurs ne mentionnaient qu'un « simple incident » à l'usine de Jaxarts.

Premier arrêt pour nous, les antiques mines de Rojo Hill. Rien à en faire : un vieux site ravagé par le temps, dont les ressources sont presque épuisées. Seul le volume impressionnant de vieilles scories médiévales encore assez riches en minerai pourrait éventuellement en faire un gisement secondaire, mais c'est à peu près tout.

Le lendemain, une autre mine, de cuivre celle-ci. Encore loin du site potentiel de l'antre de Dragon que je cherchais, elle m'intéressait néanmoins pour son lien avec les grands lézards : elle datait de l'époque de la Domination Draconique, et des êtres hybrides, demi-hommes demi-dragons, y auraient œuvré (ou plutôt, y auraient fait travailler le bétail humain que nous étions à l'époque).

J'ai fait chou blanc. Je n'en ai trouvé aucune trace probante dans ce qui restait accessible du complexe – c'est à dire pas grand-chose, à peine quelques débuts de galeries effondrées. J'ai aussi interrogé la Terre, qui ne se souvenait de rien. Il reste peut-être quelque chose en profondeur, mais cela impliquerait des travaux titanesques et hors de ma portée.

Nous avons campé sur place cette nuit-là. Depuis le temps, le site était revenu à l'état sauvage, verdoyant dans son vallon agréable et tranquille – typiquement le genre d'endroits pas fréquenté par les habitants de la région. Les sites industriels, ce n'est pas *sexy*, et je ne parle même pas de ceux marqués par les dragons (même s'il n'en reste pas d'autres traces que dans la mémoire collective)…

Collés l'un à l'autre, adossés à un arbre, nous regardions notre petit feu se consumer tranquillement, digérant le lapin que Sophie nous avait piégé.

« Tu sais, je ne m'attendais pas à ce que tu sois réellement un prospecteur…

— Et pourtant, ai-je répondu avec un petit sourire. Avec ma boîte, nous sommes suffisamment réputés en Darromar pour que la Grip m'embauche.

— Oui, mais… » Elle me fit un sourire rusé. « L'écoterro qui bosse pour des pollueurs… »

J'ai haussé les épaules.

« Mon activisme n'était qu'une erreur de jeunesse ?

— Je te crois pas une seconde. »

J'ai rigolé.

« C'est bien, ce que vous avez fait avant-hier. Mais dans ce pays, il faudrait faire péter bien plus qu'une usine…

— Ah, ça… » Elle soupira. « Un jour, peut-être… »

Après un silence, elle me demanda :

« Qu'est-ce que tu cherches exactement ? Tu parles de minerai de fer, mais tu étais autrement plus fébrile aujourd'hui… Les dragons sont la vraie raison de ton voyage, n'est-ce pas ? »

Je suis toujours aussi chatouilleux sur le sujet.

« Non.

— Allez… Tu veux pas en parler parce que c'est pour ton boulot ?

— Confidentiel.

— Ça veut dire oui. Mais y a pas que ça. Quand je disais fébrile, je ne plaisantais pas. Ça te touche directement, non ? »

Elle a voulu passer sa main dans mon dos. Je me suis écarté en grommelant. Magicienne ou non, cela ne la regardait pas.

Mais oui, je devais bien me rendre à l'évidence et admettre que c'était une sorte de « quête personnelle ».

*

Le lendemain matin, alors que nous étions prêts à partir, Sophie déplia ma carte routière et la posa sur le capot. Elle me montra un point perdu au milieu de collines boisées, pas trop loin d'ici.

« Notre prochaine étape. Je suis sûre que tu seras intéressé », fit-elle.

J'ai haussé un sourcil et fait semblant de râler – pour la forme.

Y accéder a été épique. Le chemin était tellement défoncé que même le 4x4 de la Grip a demandé grâce, et nous avons été obligés de finir à pied, dans un sous-bois broussailleux, parsemé de vagues restes de bâtiments, et particulièrement humide, car une brume dense avait décidé de s'accrocher sur place pour le reste de la matinée.

Tout cela, pour aller voir, au sommet d'une des collines, quelques pans de mur recouverts par la végétation.

« Mais ce n'est pas n'importe quelle ruine, regarde ! »

Effectivement. L'arche d'entrée était bien conservée ; sa clé de voûte, à plus de trois mètres du sol, exhibait un superbe blason aux couleurs vives et fraîches, telles qu'elles devaient l'être à sa création.

Je ne reconnaissais pas les armoiries, mais le matériau, si : une marqueterie en écailles de dragon teintées, sculptées, et incrustées dans le mur en grès. J'étais fasciné, n'osant pas grimper au lierre escaladant la ruine, pour aller le toucher.

« Ça ne risque rien, me dit Sophie. Les enchantements qui le protègent de l'usure du temps sont toujours efficaces. Il y a bien une légende de malédiction sur quiconque l'abîmerait, mais c'est du pipeau. »

Je suis resté au sol et ai pris quelques photos.

« C'est la forteresse d'un dragon…

— Oui. Et pas un inconnu. La salle du trône de Deimos, premier lézard tyran de la région, se trouve derrière ces murs. »

J'étais estomaqué.

« Je n'aurais cru pouvoir visiter un site pareil !… En Darromar, l'équivalent – les ruines du palais de Kaamos, fils de Deimos – ont été détruites, et le site devait être vendu pour devenir des entrepôts frigorifiques, vu les températures glaciales qui y règnent depuis la mort du dragon. Mais personne n'a voulu l'acheter. C'est actuellement une friche. »

Elle était atterrée.

« Je croyais qu'il n'y avait que la RCE pour mépriser le passé à ce point !

— Malheureusement non. La rentabilité à court terme est tout ce qui compte pour les dirigeants de chez moi. C'est presque mieux ici…

— Mouais. Tout le monde préfère oublier ces ruines en attendant qu'elles disparaissent toutes seules. Seuls les chasseurs de trésors viennent dans le coin, espérant trouver le magot supposé être planqué ici. »

Des tremblements m'ont saisi en entrant. Un ou plusieurs de mes ancêtres ont-ils vécu ici ?

Les ruines elles-mêmes offraient une vue classique : grands murs moussus rongés par le temps, tas de gravats, arbres et arbustes poussant au milieu. Visiblement agrandi maintes fois – des différences architecturales restaient perceptibles malgré tout – il devait être splendide dans son âge d'or.

J'ai encore une fois cherché à écouter la Terre, espérant ressentir des impressions spécifiques du temps des Grands Vers. Rien. Je sais bien qu'Elle ne se rappelle pas forcément très bien des détails des vies qui se promènent sur Elle, mais là… Suis-je si mauvais que cela dans la lecture du passé, ou y a-t-il un artifice m'empêchant d'y accéder ? Je ne peux répondre.

Quoi qu'il en soit, très rares sont les traces d'art ou de décoration. Cela sent la destruction systématique (comme le prouvent certains linteaux de portes, aux sculptures fracassées) ou le pillage.

Il reste malgré tout une magnificence, une majesté intimidante. La présence d'un grand Ver laisse une marque toujours sensible à plusieurs siècles d'écart. Surtout quand, comme ici, reste ce qui était la salle du trône, où les roches des murs, fusionnées entre elles, forment une sorte de couchette d'une dimension... impressionnante, sur laquelle s'accumulent maintenant mousses et feuilles mortes. Gemmes et monnaies devaient y être incrustées, car il reste des empreintes en creux. Mais tout a été pillé.

Peur et mépris des dragons, oui, mais l'appât du gain a quand même été le plus fort, on dirait.

*

5 Festial

J'ai toujours fait mes voyages de prospecteur seul ; la bagnole, les cahots sur les chemins mal entretenus, les longues marches dans des terres inhospitalières... J'aurais cru que la solitude me manquerait... mais non. C'était étrange et tellement agréable d'être accompagné !

Quelque part, je ne me reconnaissais plus.

Bref.

Pas grand-chose de neuf pour le boulot, ces derniers jours. Quelques flics nous avaient remarqués et sont venus nous interroger pendant que j'explorais une autre carrière abandonnée. Assez peu de ressources restantes là aussi, et encore une fois pas de filon caché à côté.

Le site le plus important que nous ayons visité est lui bien marqué sur toutes les cartes de la région. J'avais bien l'intention d'y faire un tour ; Sophie aussi, elle qui n'avait encore jamais eu l'occasion d'y mettre les pieds.

L'Église de Sant-Ajora est bien le premier site historique correctement protégé et sauvegardé que je vois dans ce pays. Il est vrai que sa tragédie sert bien la propagande anti-draconique et anti-magique de la RCE ; des fleurs y sont toujours déposées en hommage, plus de deux cent cinquante ans après les événements.

À l'époque, Kaamos régnait encore sur son domaine ; la Domination avait reculé dans le monde, l'Humanité esclave se rebellait de plus en plus souvent – parfois avec succès, mais finissant généralement massacrée après des actes de résistance parfois héroïques, comme ici.

Entrer à l'intérieur des ruines fait un choc. Tous les murs qui n'ont pas été détruits par le dragon lors de son attaque montrent des silhouettes humaines, fusionnées à la pierre par la magie du lézard en furie. On peut voir certains visages. La terreur, la douleur s'y lisent encore malgré l'usure du temps. Une plaque métallique indique que parmi eux se trouve le père de Fabio le Libérateur, vainqueur de Kaamos.

Je n'ai pas osé tenter une quelconque géomancie. Quand nous sommes repartis, nous avons croisé un car scolaire. Voilà qui allait encore marquer une génération entière.

Le soir même, nous campions dans un vallon tranquille, près d'un petit ruisseau gazouillant.

J'étais assez morose, et grignotais sans conviction mon sandwich au pâté. Même la très sympathique bouteille de vin du cru ne me motivait pas. L'horreur de Sant-Ajora reste longtemps présente dans les esprits.

Sophie aussi était assez secouée.

« Tu rumines toujours ? me demanda-t-elle.

— Ouais. N'importe qui aurait été choqué, alors quand on est comme nous pris entre deux feux…

— Heu… L'arcanie – enfin, la magie – nous vient des Dragons, mais pas la géomancie, que je sache ? »

Je suis surpris. Je croyais qu'elle avait compris ce que j'étais… ?

Voyant ma trombine, elle s'expliqua.

« Je sais très bien qu'il y a autre chose. Mais tu n'as jamais voulu en parler… »

J'ai soupiré. Elle avait raison.

J'allais commencer à m'expliquer quand elle s'est brutalement tournée vers la voiture. Je n'y faisais plus attention, mais nous avions laissé la radio allumée. Elle s'est jetée dessus pour monter le volume.

« Une rafle dans les milieux antisociaux à Jaxarts a permis d'arrêter un groupe de violents terroristes, responsables de l'incident de la semaine dernière. Nous n'avons aucun doute sur le fait que les trois hommes, dont les noms ne nous sont pas connus à l'heure actuelle, dénonceront les complices qui pourraient encore errer en ville. »

Elle était décomposée. Sa voix tremblait.

« Combien de temps pour aller jusqu'à Carnole ? »

Je récupérai ma carte.

« Vu qu'il y a pas mal de petites routes, je dirais deux bonnes heures. Plutôt trois, en fait.

— Il faut que je rentre. J'ai un téléphone sûr qui m'attend là-bas, je dois contacter ceux qui restent.

— Tu veux partir maintenant ? La nuit tombe… Ça ne va pas être discret. »

Elle jura. C'était la première fois que l'entendais faire.

*

## 6 Festial

Nous sommes partis un peu avant l'aube. Un silence morose régnait dans la voiture.

J'ai déposé Sophie non loin de la ville, à un arrêt de bus près d'un petit bois.

« Il y a une cabane cachée dans les arbres, là-dedans, m'a-t-elle dit. Tellement bien planquée qu'elle n'est pas trouvable sans aide. Une ancienne magie elfe, il paraît. Si jamais tu veux passer par ici après avoir fini tes prospections… J'imagine que tu pourras la repérer, toi. »

Un silence malaisé plana, avant qu'elle ne conclue.

« J'y passerai de temps en temps. J'espère te revoir, mon dragounet. »

Nous nous sommes embrassés une dernière fois.

*

Ces derniers jours sont passés comme un charme, mais maintenant que Sophie n'est plus là, c'est comme si je me réveillais brutalement.

Qu'est-ce que j'ai été con !!!

Faire confiance oui, mais là j'ai jeté toute prudence par la fenêtre. Déjà qu'en temps normal je ne me lie pas trop aux autres par sécurité… Et il a fallu que je fasse n'importe quoi ici, en Drannyr !

J'imaginais au début qu'elle pouvait être une agente RCE ; je n'y crois plus. Elle était beaucoup trop sincère. Je ne doutais plus vraiment de ses sentiments, ni des miens d'ailleurs. Mais si elle se faisait piéger par les GEMs, j'étais grillé – on l'obligerait à parler de certains petits détails me concernant, et vu l'amour porté aux « parascientistes » dans le pays…

J'allais devoir devenir parano, vraiment. Survivre sans devenir fou, comme les gens d'ici. Heureusement que j'ai déjà l'habitude de cacher mes dons aux yeux des ignorants.

Sophie détonnait vraiment dans cette ambiance délétère. Elle, une magicienne, avait confiance en l'avenir, et une volonté infinie de croire en quelque chose de mieux. L'amour, la liberté, je ne savais pas. Mais j'allais avoir du mal à reprendre ma routine de solitaire, à oublier tout ça. Même si c'était pour le mieux.

Problème supplémentaire : je ne pourrais plus traîner sur la route et profiter du voyage. Plus tôt je serais de retour en Darromar, plus vite je serais en sécurité.

*

21 Festial

Je me suis noyé dans le boulot.

Presque noyé tout court d'ailleurs, quand j'ai embourbé la bagnole et me suis vautré dans cette mare de boue gluante. C'est vrai que le temps a souvent été aussi maussade que moi, avec deux semaines de pluie presque en continu – vraiment pas le pied pour courir la cambrousse.

En plus j'ai perdu du matos… La typique routine du « rien ne va plus ».

Je n'étais pas motivé. Pour la première fois de ma vie professionnelle, la solitude sur le terrain me pesait. Aucun moyen d'espérer avoir des nouvelles l'un de l'autre – je ne sais si elle maîtrisait les arcanes magiques idoines, et ne lui avais pas donné mon numéro de téléphone. J'avais bien celui de son bipeur, mais tu parles d'une communication quand c'est à sens unique !

Pays de merde où tous les téléphones sont reliés aux centres d'écoute de la police. Quelle différence avec le Darromar ? Ici, ce n'est pas « au cas où », ils mettent vraiment en œuvre les moyens humains et techniques pour éplucher les données.

Soit ; j'ai joué le jeu et prospecté comme un fou. Pour le fer, tout d'abord – histoire de bosser l'alibi à fond. J'ai arpenté en long, en large et travers les contreforts et les premiers pics des Manganes, enchaînant mines, carrières et prospections dans des zones éventuellement intéressantes (mais toujours en gardant en ligne de mire le véritable objectif de ma mission, et en me rapprochant donc du site théorique de l'antre). J'ai d'ailleurs trouvé un nouveau filon non loin d'une carrière de la Grip ; ils en étaient tellement satisfaits qu'ils m'ont promis une prime.

J'ai même abandonné le camping pour m'arrêter dans de petits hôtels et relais routiers – la pluie m'a bien aidé à prendre cette décision. J'étais un gars normal, visible mais pas trop (et toujours prêt à détaler à la moindre menace).

Quelques autres sites – deux grottes et une forêt, cités dans la publication de Nédéchez – ont bien entendu reçu ma visite. Ne m'y attendaient que des traces de pas presque fossilisées dans de vieux sédiments, ou quelques vieilles écailles dégradées et déjà inutiles.

Rien qui ne pouvait intéresser la Grip. L'ADN de dragon est très particulier ; instable, il se conserve très mal, car au moins une des bases aminées qui le compose disparaît à la mort du monstre… sauf s'il est conservé dans un environnement protecteur (saturé de magie, par exemple). Enfin, c'est la théorie la plus admise à l'heure actuelle.

À l'hôtel, de temps en temps, je jetais un coup d'œil à la télé. À l'habituelle série de portraits de personnes recherchées qu'ils diffusaient régulièrement, s'en étaient rajoutés six. Le portrait-robot n'était pas très juste, mais j'ai pourtant reconnu Sophie parmi eux.

Ce voyage n'avait plus la même saveur. Je me languissais, m'ennuyais. Parfois soulagé d'avoir repris ma routine… mais le plus souvent, m'étreignait un sentiment de manque, un vide.

Sophie avait senti les écailles qui parsèment mes épaules et ne m'avait pourtant pas repoussé.

\*

## 25 Festial

J'ai dû faire une connerie, car j'ai l'impression d'avoir les poulets sur le dos. Ou alors Sophie a été capturée. Ou son pote Marco a parlé de moi.

C'était le plus logique. Des prospecteurs indépendants qui se baladaient en RCE, il ne devait pas y en avoir des masses.

Voici donc le moment où je devais disparaître. Je m'étais fait faire des faux papiers avant de partir, car je m'attendais bien à en avoir besoin. Maintenant, je m'appelais Lilian Renard, ressortissant du Llyaran et vacancier en Drannyr avec sa voiture de fonction. Je l'ai déguisée avec le kit de retouches (comprenant des autocollants au nom d'une société bidon et plusieurs jeux de fausses plaques d'immatriculation) que les prévoyants employés de la Grip avaient veillé à bien planquer dans le coffre.

D'après les indications – certes floues – du « Secret des Dauvinach », je devais trouver l'antre du dragon dans la vallée de la Bularde ou les sommets avoisinants.

Pour être sûr, j'ai recroisé mes sources encore une fois, revérifié les indices sur les cartes.

J'aime beaucoup ce coin, mais j'y ai passé trois jours pour rien.

La Terre a bien répondu, pourtant – j'ai même trouvé trois petits indices à plomb et zinc, dont un qui montrait des traces antiques d'exploitation. Mais il n'y a jamais eu de Dragon ici – pas de sensation d'absence ou de vide d'informations comme au château de Deimos, juste rien.

Putain de frustration, j'en ai hurlé de rage ! Si je rencontre un jour ce glandu de Nédéchez, je lui ferai payer son papier de merde en le ligotant et en l'envoyant aux GEMs – même si nous sommes de l'autre côté du continent.

*

26 Festial

Que devais-je faire ? Annoncer mon échec à la Grip et me carapater à la maison ?

J'étais tellement sur les nerfs depuis hier que j'ai failli passer à côté de reliques que proposait un type sur le marché local. Il ne savait pas ce que c'était, et vendait ça comme des curiosités naturelles et décoratives.

Comment les décrire ? Ces sortes de statuettes en pierre, usées et altérées par le passage du temps, font moins de trente centimètres de haut. Elles ressemblent à des agrégats de bulles rocheuses parfois creuses, pour certaines recouvertes de pointes émoussées. Elles semblent subtilement se compléter – rien de plus qu'une intuition, car je serais bien incapable d'expliquer comment.

Deux dracogurines… Ces créations que les dragons modèlent grâce à leur aura, qui quand ils le désirent distord et déforme tout. Ce sont des objets vraiment très particuliers, à la fois beaux et dérangeants – bien malin quiconque non-dragon arrive à comprendre ce qu'elles représentent ! Tout autant rite de passage, preuve sociale de maturité, et probablement beaucoup d'autres choses aussi, elles leur servent ensuite à jouer à une sorte de jeu d'échecs en trois dimensions – une fois encore, il faut être un Dragon pour comprendre les règles.

Je les ai achetées. Essayé de faire parler le vendeur. Il croyait que je voulais lui piquer son coin. J'ai dû le payer – cher – pour qu'il se décide à me répondre.

Il les a trouvées cachées dans une ancienne grotte fortifiée, et les pense très vieilles. J'aurais tendance à lui donner raison.

Bon. Je resterai donc quelques jours de plus et continuerai vers l'ouest. Vers Carnole.

En repartant, j'ai croisé un GEM et son équipe. Coup de stress. Heureusement, j'ai pu m'esquiver discrètement avant qu'ils ne me voient. Il était hors de question que je prenne le moindre risque.

*

28 Festial

J'ai revu par deux fois des GEMs ici – deux de trop pour de simples coïncidences. Le vendeur ambulant devait leur avoir parlé de moi.

Ils ne m'avaient pas repéré, pourtant ; je m'étais toujours caché – dont une fois sous disparite, par sécurité – dès que je les apercevais.

Une angoisse supplémentaire, faite d'anticipation et de peur des réponses à venir, ne me quittait plus désormais ; je savais que j'étais sur la bonne piste, dans la région d'origine des dracogurines (une petite vallée boisée dans une zone quasi inhabitée des Manganes).

J'ai pu, tranquillement, prendre le temps de communier avec la Terre. Peu d'influence humaine par ici, tout y était vibrant de verts et de bruns, du cycle de la vie et de la mort. L'énergie des leys circulait apaisée ou sauvage, comme les ruisseaux descendant des sommets. De loin en loin, des traces d'humanité, présente ou passée, mais aucune n'était oppressante ou destructrice comme à DLC. Le chant des pierres évoquait l'ancienne présence d'un Dragon. Visiblement, je devais juste grimper encore un peu plus haut.

Peut-être bien que la Grip allait avoir leur antre, finalement.

*

J'ai fait parler la Terre à plusieurs reprises pour trouver l'endroit. Après cela, il m'a fallu provoquer un petit éboulement par géomancie pour dégager les déblais qui me bloquaient l'accès.

Derrière, l'entrée d'une caverne ; peut-être naturelle à l'origine, mais certainement retravaillée.

L'enthousiasme de la réussite a vite fait place à une terrible appréhension. Ce souterrain menait à un Dragon mort, mais un Dragon quand même. J'ai sorti les lampes torches et suis entré, bravant un niveau de peur primale que je ne pensais pas affronter un jour.

La Terre ne mentait pas. C'était bel et bien l'antre d'un Dragon. Avec son squelette, effrayant et imposant.

Celui-ci, effondré sur lui-même, était massif, énorme (le crâne était plus grand que moi), et reposait sur son trésor : un lit de pièces, de gemmes, d'objets divers, comme il leur est coutumier. Mais la magie incarnée par le monstre s'était libérée à la mort de celui-ci, modifiant l'environnement : les monnaies avaient fusionné entre elles, développé des excroissances de métal précieux, les gemmes semblaient avoir crû sur leurs facettes taillées, créant de nouveaux prismes minéraux… Le plus magnifique était le chatoiement de tous ces cristaux de magie brute, aux formes étranges, qui avaient poussé un peu partout sur les murs.

Tout était au-delà d'une simple description ; irréel, fantastique, fascinant, inquiétant… J'ai dû passer plusieurs heures à admirer cet enchanteur palais des merveilles, tétanisé et comme hypnotisé, n'osant pas – au début – toucher quoi que ce soit.

Je n'ai pas tenté une quelconque géomancie non plus.

Cette trouvaille représentait plusieurs fortunes. Tant de cristaux de magie pure, concentrée, physique, étaient déjà d'une valeur inestimable, et on ne parlait même pas des os, dont l'ADN devait toujours être viable.

J'ai longuement hésité avant de contacter Tuomas ; je n'étais pas sûr d'accepter de voir ces merveilles exploitées. Qui sait, peut-être s'agissait-il de la dépouille d'un de mes lointains ancêtres ?

Mais bon, nous allions pouvoir négocier une sacrée prime avec la Grip. J'ai sorti mon téléphone et lancé l'appel après m'être bien éloigné, juste au cas où.

*

## 7 Vignaire

Il m'aura fallu du temps pour finir cette histoire, mais je n'étais pas en état.

Le lendemain de ma découverte, j'aurais dû repartir vers Spalan, aller faire mes rapports à la Grip, et me tirer de ce pays. Mais comment laisser derrière moi une merveille pareille ?

Prudemment (j'étais encore une fois invisible), j'y suis retourné.

J'y ai passé… un certain temps. J'ai communié avec la Terre, la grotte elle-même, pour en savoir un peu plus.

Ce fut un kaléidoscope d'émotions et d'expériences d'une intensité insondable. Toute cette magie concentrée faisait exploser mon corps alors que mon esprit s'agenouillait devant le dragon. Des échardes cristallines perçaient mes chairs avant que je ne sois enfoui sous une avalanche dont je ressentais chaque petit caillou, car mon esprit ne faisait qu'un avec la montagne. Plusieurs espionnages magiques s'accrochaient à mon âme alors que je flottais au-dessus des nuées ; d'un battement d'ailes, j'étais dans un monde différent. J'ai vu le temps passer, ressenti les roches s'éroder sous le poids des éléments et des saisons, ou s'effondrer sur elles-mêmes à ma demande ; dans le même temps, de bébé dragon tout juste sorti de son œuf, je devenais un majestueux lézard ailé. J'étais le Dragon qui regardait avec un mépris amusé ce petit singe venu visiter son sépulcre ; j'étais moi-même, simple humain, un misérable gibier terrifié devant l'une des plus puissantes créatures vivantes au monde. Sophie me rejoignait et combattait un escadron de GEMs hors du temps, alors que je voyageais par la Terre vers des destinations étranges.

La première fois que j'ai repris mes esprits, Sophie conduisait la 4RC-Com comme une folle. J'ai vomi sur mon siège avant de m'évanouir aussitôt, terrassé par tout ce que je venais de vivre, ainsi que par des blessures dont je n'avais même pas conscience. L'esprit humain n'est pas assez robuste pour certaines expériences…

Il m'a bien fallu deux semaines pour reprendre définitivement pied avec la réalité.

Sophie nous avait amenés chez ses parents, dans les campagnes du nord du Drannyr – à Carnole, là où elle souhaitait se rendre quand nous nous sommes connus, ne se trouvait qu'une maison refuge tenue par des sympathisants. Elle m'a fait soigner – je m'étais tout de même pris trois balles dans le corps.

J'ai aussi eu droit à toute l'histoire.

« Dès que tu es entré dans la caverne, c'est comme si tout le monde magique avait été secoué. Tu brillais comme un phare dans la nuit… Je ressentais ta présence comme si tu étais à côté de moi, alors que je me trouvais à plusieurs dizaines de kilomètres ! C'était fascinant.

Elle rit.

« C'est peut-être à cause de nos liens que j'ai ressenti cela. Je ne pouvais faire autrement que te rejoindre, car je me suis retrouvée happée par toute la force que tu déployais – et pouf, j'étais dans la caverne avec toi. Je n'ai jamais réussi à voyager grâce à la magie – à me téléporter, comme on dit – et je suis incapable de le refaire. Sur le moment, c'était super flippant. J'ai eu la peur de ma vie. »

Je n'avais même pas conscience d'avoir accompli de tels prodiges.

« J'ai vu alors la trame de la magie, les liens qui t'enchaînaient à des hommes qui approchaient. »

Elle parlait de l'escadron de GEMs, qui me surveillaient magiquement, et s'apprêtaient à me coincer dans la caverne. Elle a dû livrer une bataille féroce contre eux.

« J'avais la haine à ce moment, m'a-t-elle dit, et pas de limite pour venger mes amis ».

Toute cette magie brute dans la grotte l'a infiniment aidée – et moi aussi, sans même que j'en ai conscience, en hissant ma géomancie à des sommets qui m'étaient inconnus. Dans les spasmes de mes visions, j'ai invoqué l'avalanche qui a écrasé les GEMs survivants – ou au moins une partie d'entre eux, Sophie n'était pas trop sûre.

Ensuite, elle a laissé derrière nous des cadavres nous ressemblant trait pour trait – un autre accomplissement magique qu'elle serait bien incapable de refaire, mais encore une fois, le lieu se prêtait à des prodiges. Toujours dans ma transe, je nous ai transportés à travers la terre, jusqu'à l'air libre.

Elle s'est ensuite débrouillée pour retrouver la bagnole et nous mettre à l'abri.

Je l'ai regardée, admiratif. Je savais qu'elle maîtrisait les énergies arcanes, mais j'étais bluffé. Dire qu'à Jaxarts, elle jouait la fille inquiète et sans défense, alors qu'elle est tout le contraire.

Quand je lui ai fait remarquer, elle a ri.

« Nous sommes en Drannyr, tu te rappelles ? Je devais réagir comme cela. Et quitte à parler de surprises, tu m'as fichu la trouille quand tu m'as démasquée dans le bar. J'ai été à *ça* de m'enfuir et de te laisser partir seul. Mais ça m'a aussi rassurée, car pour sentir ce petit artifice, tu devais être de la partie. »

Elle fit une pause, passa sa main doucement dans mon dos.

« N'est-ce pas, mon dragounet ? »

Comme je m'en doutais, elle avait bien remarqué les quelques écailles que je porte sur les épaules. La marque de mon héritage draconique. Elles sont plus ou moins masquées par un tatouage qui peut faire illusion… mais pas au toucher.

J'ai bien évidemment tenté à nouveau de communier avec Terre pour voyager grâce à Elle. Pendant la transe qui m'a saisi dans l'antre, j'avais pu le faire, à un point dont je n'avais jamais osé rêver. Pour la première fois, je sentais le flot des lignes ley, les vibrations des roches et du sol, avec une telle intensité que je pouvais les suivre et me faire transporter par elles.

Auparavant, je n'étais pas capable de faire abstraction de moi-même à ce point. Il m'a fallu du temps pour y arriver à nouveau. Quand j'ai enfin réussi et me suis retrouvé de l'autre côté du jardin, Sophie a été fascinée. Avec de l'entraînement, j'espère pouvoir être capable de visiter le monde entier !

Maintenant, un peu plus de deux mois après cette aventure, je suis enfin remis.

Et voilà que Sophie m'a annoncé, hier soir, qu'elle était enceinte de moi.

C'était tellement inattendu. J'étais abasourdi, je ne savais pas quoi faire ni quoi penser, hormis que je ne pouvais pas rester ici en RCE avec de tels fers aux pieds !

Du coup, ce matin, je me suis levé aux aurores. Discrètement, sans la réveiller. Et j'ai pris la bagnole de la Grip, direction le Darromar.

Je savais bien que je ne pourrais pas passer la frontière – j'ai de faux papiers certes, mais pas d'autorisation de sortie du territoire.

Pas grave. J'ai laissé la voiture en pleine campagne, pas très loin des barbelés du no man's land, et voyagé par la Terre. Une fois en Darromar, quelques heures de train m'ont ramené chez moi.

Enfin libre du Drannyr et de la RCE !

*

8 Vignaire

Pour conclure cette histoire, il me fallait voir mon boss Tuomas, dont je n'avais eu aucune nouvelle depuis cet appel après la découverte de l'antre.

J'y suis donc allé ce matin.

Je ne vais pas prétendre que nous étions particulièrement proches, mais nous nous respections. J'ai compris qu'il y avait un problème quand notre secrétaire a tiré une tête d'enterrement en me voyant.

Et voilà qu'il refusait même de me voir.

Je n'ai pas hésité longtemps à forcer le passage et ouvrir la porte de son bureau à la volée.

« Le surlendemain de ton départ, j'ai eu une visite très désagréable, m'a-t-il dit. Un groupe de GEMs. J'ai appris à mes dépens que la RCE a des agents actifs à l'extérieur de leurs frontières. Ils savaient pour notre contrat avec la Grip, même s'ils n'en connaissaient pas tous les détails. Je n'ai pas vraiment pu leur cacher quoi que ce soit. »

Je remarquai alors son nez. Il n'était pas tordu comme cela auparavant.

« Et tu n'aurais pas pu me prévenir ? »

Il s'est énervé. « Tu étais chez eux, et ils surveillaient mes communications. Désolé, mais je tiens à la vie. Et puis, tu savais que ce serait une mission sans filet, non ?

— Donc tu m'as donné.

— Oui. D'ailleurs tu ferais mieux de te casser rapidement, avant que nos nouveaux amis ne te repèrent. J'imagine que tu leur as échappé et qu'ils doivent vouloir te rattraper. Tu nous mets tous en danger, là. »

L'enfoiré.

« File-moi mon salaire.

— Parce que tu crois que la Grip nous a payés alors qu'ils n'ont rien eu ? Ils m'ont même facturé la bagnole ! Et la RCE, à ton avis, m'ont-ils donné le moindre cent ? Et te voilà qui débarques la bouche en cœur ! Je devrais être content de te revoir en vie, mais en fait c'est pire que tout. »

Il fulminait.

« Dégage. Je n'ai pas envie d'avoir encore les GEMs sur le dos ! Pour nous, tu as disparu, et c'est très bien comme ça.

— Attends ! On peut agir en justice, c'est de l'ingérence internationale !

— Tu sais comme moi que la RCE niera et que le procès aboutira sur un non-lieu ; notre – mon – bureau d'étude n'est pas un assez gros poisson. Et d'ici à ce que l'affaire soit traitée, ne resteront de nos cadavres que des squelettes avec des charentaises en béton. »

De retour à mon appart', j'étais bien emmerdé.

La RCE est la grande gagnante de l'histoire : elle a récupéré un site fabuleux, au prix d'un escadron de GEMs. Petit bonus, deux vilains parascientistes, dont un agent étranger, sont morts dans l'affaire, non ? À l'inverse, la Grip... disons qu'elle n'a perdu qu'un agent extérieur et quelques liquidités, leur problème est qu'ils n'ont rien gagné. À moins que je ne les recontacte discrètement, pour leur faire passer les rapports qu'ils attendaient. Une manière d'égaliser un peu les chances ; tout ce qui aide les ennemis de la RCE est bon à prendre, je crois.

Moi-même, j'étais donc dans une zone grise – disparu en Drannyr, comme Tuomas l'a déclaré à notre administration. Il avait raison – si la RCE se rendait compte que j'avais survécu, ils risquaient de chercher à me coincer – que ce soit pour venger leurs GEMs, ou savoir comment j'avais trouvé l'antre du dragon, ou que sais-je encore.

Peut-être que la parano développée pendant quelques semaines me poursuivait.

Tuomas savait que j'étais encore vivant – et donc peut-être, bientôt, la RCE. J'ai écrit une longue lettre à ma mère, lui expliquant certaines choses – mais pas tout, par prudence et pour ne pas la mettre en danger.

Cela m'a fait réfléchir, évidemment. Je pourrais refaire ma vie ici sans problèmes, mais... L'air libre du Darromar ne valait rien si j'étais seul.

J'ai hésité. J'avais trop honte. Mais le soir même j'étais de retour – par le même chemin – chez les parents de Sophie. Elle a pleuré, m'a insulté, baffé, avant de se jeter dans mes bras. Je n'ai pas pipé mot, n'osant la regarder en face, tellement je me sentais merdeux.

J'ai bien proposé à Sylve – son vrai prénom, mais je continue à l'appeler Sophie – de quitter le Drannyr. Pour sa famille, elle a refusé, alors que le Llyaran, par exemple, serait infiniment plus accueillant pour nous… Mais sa grand-mère est vieille et ne supporterait pas un tel voyage, avec tout le stress, les contraintes et les subterfuges que cela impliquerait.

Ceci dit, le fait que nous soyons « *morts* » nous offre une tranquillité inespérée. Elle a donc changé d'identité, et je suis réellement devenu Lilian Renard. La RCE ne viendra jamais me chercher sur ses terres, maintenant que j'ai fait une brève réapparition en Darromar !

Ce voyage m'a changé. On sait toujours qui on est quand on part, mais la personne qui revient n'est jamais exactement la même. C'est fascinant, et toujours un peu étrange.

Pendant ma longue convalescence, j'avais bien été obligé de réfléchir un peu.

Cette mission m'intéressait, car elle me permettait enfin de partir, d'une certaine manière, à la quête de mes origines, de ce que j'étais vraiment. Dans mes pires moments de doutes et de prises de tête absurdes, il m'arrivait de me demander si j'étais vraiment humain, alors que le sang des Tyrans coule dans mes veines, que je suis à la croisée des deux espèces qui ont dominé le monde.

Je n'ai plus aucun doute, maintenant : je suis simplement un humain comme les autres. Avec, certes, quelques petites choses en plus, comme ces écailles qui sont maintenant plus nombreuses qu'avant. Ou ma grande sensibilité aux énergies magiques. Et si je n'ai pas de talent particulier pour l'arcanie, contrairement à la majorité des descendants des Dragons (ou contrairement à Sophie, par exemple), je sais maintenant que cette aptitude innée pour la géomancie me vient d'Eux. Ma facilité à entrer en résonance avec l'influence du Grand Ver dans son antre me l'a prouvé – et j'ai pu ainsi dépasser des limites dont je n'avais même pas conscience, découvrant ainsi toute l'étendue de mon talent.

Ne me reste plus qu'à apprendre à faire voyager toute ma petite famille avec moi – ce qui serait la solution la plus sûre pour nous tous de quitter ce pays.

Il est vrai que j'ai parfois du mal à me faire à l'idée d'avoir renoncé à mes voyages pour rester dans ce pays de fous. Un jour, je me connais, j'aurai besoin de repartir vagabonder par monts et par vaux. Mais pour l'instant, d'autres aventures m'attendent... Devenir sédentaire pour m'occuper de notre petite famille de parascientistes – vu ses parents, je parie que notre fille sera douée elle aussi – ne sera pas de tout repos !

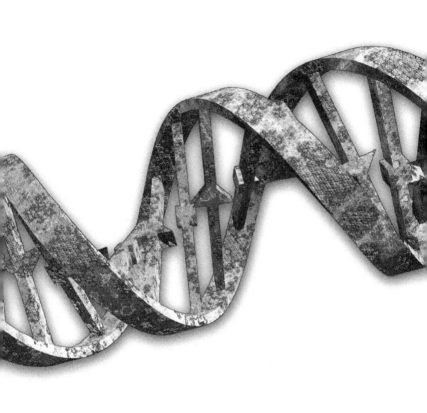

28 Noctôse 1141

De : Gunnar Wick, Directeur général des Affaires scientifiques et parascientifiques
À : Reno Deltray, responsable du Maintien de l'Ordre

Mon cher Reno,

Je me permets de te rappeler la réunion du 2 noctôse courant, lors de laquelle mon subordonné Damian Ranshin avait souhaité savoir quelles étaient les possibilités d'obtenir d'autres échantillons de tissus de dragon, ou à minima des extraits d'ADN frais.

Il l'a mentionné à ce moment, mais nous avons épuisé depuis longtemps les seuls spécimens viables que nous ayons eus. Pour rappel, ceux-ci datent de l'été 1126.

Au vu de notre intérêt commun à la progression de nos recherches et au respect des souhaits de notre Président Benjamin Raclaw, merci de mettre les équipes des GEMs là-dessus, comme tu l'avais promis.

Bien cordialement, et que la RCE soit toujours plus prospère. *Une nation, une entreprise !*

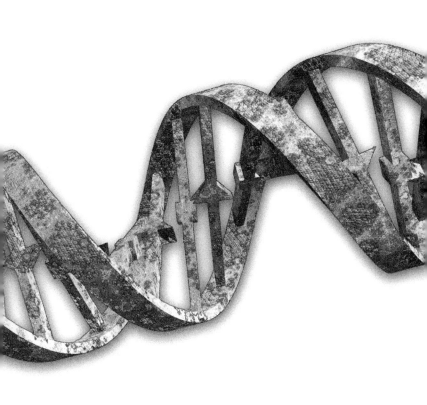

# UNE SI SIMPLE MISSION...

*11 Melnidor  1142, Spalan, 13h 35*

Reno Deltray, mon supérieur, est vraiment l'incarnation idéale du cadre sup'. Même quand il rumine en regardant ostensiblement par les grandes baies vitrées du bureau du vice-PDG – qu'il remplace actuellement – il exsude une assurance naturelle de grand prédateur. Alors que les derniers étages de la tour RCE ont pivoté, il peut admirer cette bonne vieille ville de Spalan, capitale du Drannyr, dans toute son étendue.

« Bien, mon cher Cyrrus... Tu as l'air d'avoir vécu des moments intéressants, ces derniers jours ! »

Tout juste de retour de Cascio-Ferro la queue entre les jambes, je craignais un interrogatoire musclé. Or me voici dans ce bureau luxueux, installé dans un fauteuil terriblement confortable. Ne sachant à quoi m'attendre, je profite de cet instant de grâce en dégustant un excellent *burandi* aux goûts complexes de malts et de boisé.

Puis Reno se tourne vers moi.

« Alors, "Kid", quelles sont les dernières nouvelles de notre indépendante voisine la Cité mafieuse ? »

<< 1 >>

*6 Melnidor, Cascio-Ferro, 23h 35*

Port-Hacride et ses docks... Cette cité dans la cité de Cascio-Ferro n'est pas le genre d'endroit que l'on fréquente lorsque l'on vient ici en touriste ou en voyage d'affaires. C'est un labyrinthe de béton imprégné de remugles d'iode et de sel, de ferraille encroûtée de rouille, et de bateaux amarrés, le tout éclairé par de rares lampadaires dispensant une chiche lumière d'un jaune pâle et maladif. Quelques néons de-ci, de-là, signalent tel entrepôt à morts-vivants de manutention, ou tel rade de marins et ouvriers. Et bien entendu, il y a des rats partout – des petits, des gros, et certains ont même les yeux brillants d'arcanie.

De jour comme de nuit, Port-Hacride vibre au rythme bruyant du va-et-vient des marchandises. Des conteneurs de toutes tailles et de toutes cargaisons transitent par ici. Tout s'échange, tout se négocie, dans cette plaque tournante de trafics légaux ou non, et l'information y est plus précieuse que de la came.

C'est évidemment la raison de notre présence ici. Nous sommes les agents d'élite de l'une des plus grandes corpos du continent, non ? Alors quand les ordres sont tombés, nous nous sommes mis en chasse d'un certain paquet de données et d'ADN draconiques qui devait transiter par Cascio-Ferro.

Résultat, rendez-vous est pris avec le vendeur, dans deux jours. Seul problème : il s'avère que nous sommes un peu à sec, avec mon équipe, et qu'il nous faut rapidement des liquidités.

*23h 44*

Une froide et professionnelle voix féminine résonne dans mon oreillette. C'est Firre, évidemment. Notre ambitieuse tireuse de précision a un œil de lynx.

« J'ai un visuel, Kid. Deux caisses noires, des LimRC modèle 3, blindage intégral. Elles approchent depuis le sud et seront sur place dans deux minutes. »

En planque dans un entrepôt désaffecté depuis que son propriétaire est *malencontreusement* introuvable, mes hommes et moi attendons de pouvoir passer à l'action.

Grâce à nos informateurs, nous allons nous refaire. Un simple braquage, vite fait bien fait. Comme prévu, un bateau de pêche absolument quelconque a accosté au ponton annexe du quai 27, un quart d'heure plus tôt.

À vrai dire, chacun d'entre nous aurait pu régler cette petite affaire seul. Mais nous allons faire cela en équipe, comme un exercice pour garder la forme.

Je réajuste mes binocles – un bijou de fabrication locale : en plus des fonctions classiques pour des lunettes connectées, sur commande subvocale, elles basculent au choix en mode infrarouge ou en détection d'auras arcanes, et sont traitées pour prévenir l'éblouissement – puis je fais signe à Chacal, Juan et Zief d'avancer. Nous voilà quatre ombres qui serpentent entre poubelles, containers et piles de palettes, vers le bord du quai. Les deux guetteurs ne peuvent nous repérer.

Le ciel est couvert, ce soir. La chaleur est lourde, l'eau pue le varech mutant et le mazout, et la marée n'a pas fini de monter. La routine, quoi.

*23h 46*

J'entends les moteurs des LimRC qui approchent. Je retiens un soupir de dépit. Ces limousines manquent vraiment de classe, pour des caisses de luxe, même si je comprends bien l'utilité d'avoir des forteresses sur roues !

Elles se garent devant le quai. Nous attendons, cachés derrière plusieurs bagnoles toutes proches. Pendant ces instants aveugles, Firre est nos yeux.

« Le premier guetteur surplombe toujours la scène depuis le toit voisin du mien, nous dit-elle. L'imbécile ne peut pas vous voir tant que vous restez en place. Le second n'a pas bougé de devant le ponton. »

Un silence, puis elle reprend dans un bâillement.

« Trois hommes sortent de la cabine du bateau. Deux rejoignent le quai ; le plus costaud tient la mallette. Le dernier reste à bord pour les couvrir ; il a un fusil auto et au moins un flingue sur lui.

— J'espère que le fric sera à la hauteur, commente Zief avec un soupir pesant. T'aurais pu nous trouver un truc plus intéressant, Kid. »

Il a de quoi s'ennuyer. Mage de combat plutôt flamboyant, il n'a qu'un rôle minime dans l'affaire. Il faut dire que les autorités de Cascio-Ferro ont visiblement un moyen imparable de détecter toute arcanie un peu intense.

— Tu sais très bien qu'il fallait parer au plus pressé. Bon, je jette un coup d'œil aussi. »

J'active mes lunettes et relève doucement la tête ; derrière le capot de la vieille Kimbiy Diesel qui me cache, je fais un point de la situation, avant de me planquer à nouveau sans avoir été repéré.

« Deux auras arcanes. Une importante à la main gauche pour le deuxième mec du bateau. Le boss, je parie. Une autre, diffuse, autour du gars qui vient de sortir de la deuxième limo. Probablement un bouclier.

— Le costard à la petite valise ? »

J'entends le sourire dans la question de cette grande asperge de Chacal. Le pilier de mon équipe, ce gars-là.

« Ouais.

— C'est bon, j'ai un angle sur lui. Je lui réserve des balles spéciales. »

Un tir résonne – c'est le dernier son à percer la nuit alentour. Zief vient d'activer un générateur de silence – un prototype arcanotech suffisamment petit pour être inséré dans une balle, logée à l'instant sur les LimRC.

Un battement de cœur plus tard, Firre descend le gars armé sur le navire, pivote sur le côté et tue le guetteur sur son toit.

Au même moment, Chacal se redresse et abat le costard de deux balles calibre .47 bien placées, malgré la protection magique qui réduit visiblement leur impact. Juan s'élance pour la jouer au contact, comme il l'aime. Il fonce vers eux, bondit par-dessus la première voiture ; un éclair dans la nuit souligne sa lame qui tranche la gorge du gorille à peine sorti de la limo. Sa vitesse est telle qu'il est déjà à côté du deuxième costard, tout juste dehors derrière lui.

Le veilleur du quai dégaine, j'interviens à mon tour et l'aligne. Une rafale de balles de PM le fauche dans un silence toujours aussi total, et son corps s'effondre, la tête ventilée et répandue sur l'asphalte.

Soyons honnêtes : face à nous cinq, les hommes restant ne représentent aucune menace, et nous les éliminons en quelques tirs et coups bien placés. Je maquille ensuite rapidement les rares traces de notre passage, laissant traîner de fausses preuves ici et là. Si jamais quelqu'un venait à enquêter, il irait perdre du temps du côté des Crânes de Fer, le plus gros gang du coin. Des brutes plutôt efficaces dans leur genre, et qui méritaient bien un petit renvoi d'ascenseur de notre part.

>> <<

« Je vois que vous n'avez pas perdu la main, note alors Reno d'un ton goguenard. Toutefois, remplacer l'équipe du bateau à l'avance aurait été bien plus sûr.

— C'est vrai, mais nous ne l'avons même pas envisagé. »

Le boss hausse un sourcil, mais je continue sans relever.

« C'était un exercice, je l'ai dit. Et puis, nous voulions nous défouler, je crois, surtout Juan. Au fait, le R&D doit savoir que le générateur miniaturisé est vraiment très efficace.

— Je transmettrai. Ensuite ? »

<< 2 >>

*7 Melnidor, 00h 01*

Valises en main – Juan tient la dope, moi le fric – nous repartons vers nos voitures, discrètement garées à l'écart. Nous sommes sur nos gardes, mais peut-être pas assez. Le succès était trop beau, trop facile… comme pour nos dernières missions. Les habitants de Cascio-Ferro se sont endormis en regardant leurs séries télé racontant les actions « exceptionnelles » de types comme nous.

Mais ces héros-là ne se font pas piéger comme des bleus dans une embuscade deux rues plus loin.

Les enfoirés sont efficaces, bien cachés dans la rue comme sur les toits. Des voix venues de nulle part nous ordonnent de nous arrêter et de ne plus bouger. Plusieurs petits points rouges nous cherchent. Pas question d'obéir.

« À couvert ! »

Je crie à peine qu'ils appuient sur leurs gâchettes. Leurs tirs déchirent l'air ; je ne suis qu'effleuré au bras, mais Juan est touché et pisse le sang à terre en gémissant. Pourritures !

Bon. Zief est à côté de Juan, il devrait pouvoir gérer. Je vois Chacal, je fais les signes « On tente une sortie » et

« Chacun pour soi, on se retrouve demain ». La procédure habituelle.

Je repère un point rouge sur le mur derrière moi. Dégainant mon PM, je fais un signe de tête à Chacal, puis lance la riposte par un court tir de barrage en direction du tireur, sans me montrer. Zief me soutient ; je sens son plaisir à envoyer plusieurs éclairs. Les explosions violentes, assourdissantes, emplissent l'air d'une sale odeur d'ozone et de brûlé. Les autorités sauront qu'il y a eu de l'arcanie violemment balancée par ici ; pas grave, nous serons soit loin, soit morts.

Je ne vois plus de point rouge, et Chacal n'est plus là. À mon tour ! Je me faufile vers un abri, puis un autre. Je tombe nez à nez avec un rat qui s'éclipse immédiatement. Les tireurs m'ont repéré, des balles me cherchent, je m'aplatis derrière un container juste à temps.

Ensuite, c'est une longue partie de cache-cache, de course ventre à terre, avant de les semer pour de bon.

« Et Domenic… Juan, comme il se faisait appeler là-bas ?

— Il est mort. Je n'ai rien pu faire. Zief a été obligé d'incinérer son corps en catastrophe, puis d'en disperser les cendres. Il ne reste ni preuves ni moyen de communiquer avec son esprit. »

<< 3 >>

*03h 09*

Il m'a fallu du temps pour être sûr de n'avoir personne sur ma piste.

Maintenant, je rumine, seul dans la meilleure chambre du « Palais des Douceurs » – un claque à peine plus classe que la moyenne, dans un petit et vieil immeuble non loin des docks.

Bordel ! Nous avons été surveillés à notre insu, voire vendus. Par qui ? Comment ? Je ressasse les événements de ces derniers jours, essayant en vain de trouver la faille, ou au moins un indice. Que dalle.

Ce n'est pas la première fois que je suis confronté à ce genre de situation foireuse – question d'habitude, dans notre branche on prévoit toujours des plans de secours, en espérant qu'ils ne serviront pas. Mais merde ! Si ce teigneux de Juan n'est pas le premier homme que je perds, ni même celui que j'appréciais le plus, ça me fout toujours autant les boules. On ne touche pas à mon équipe !

J'en viens à repenser à Firre. Je sais bien qu'au début, elle couchait avec moi juste pour faire enrager Zief – ah, les arcanistes, avec leurs égos, leurs ambitions et leur mentalité à la con – mais les dernières fois, c'était différent. Même si cela remonte à loin, maintenant…

Je me lève du plumard plutôt confortable – le seul truc de qualité dans cette piaule – pour chercher quelque chose de fort dans les armoires ou le frigo. Je ne trouve qu'un *sake* de supermarché ; j'en bois deux gorgées.

PUTAIN ! La bouteille vole et explose contre le mur, projetant alcool et éclats de verre partout. Cette merde est dégueulasse !

Je respire à fond pour me calmer, malgré l'odeur du vitriol. Je ne peux pas me permettre de perdre contrôle.

J'allais m'allumer une nouvelle clope et tourner comme un lion en cage quand Lyoana est entrée, vêtue de cette belle robe que je lui ai offerte ; bleu clair, échancrée et diaphane, elle ne cache presque rien et promet beaucoup.

Firre ne me manque déjà plus. Je connais les talents de ma charmante bougresse professionnelle, et je veux la voir sur moi le plus vite possible, qu'elle bouge ses hanches et ses seins à sa manière si hypnotique et délicieuse…

*9h 21*

Je suis suffisamment nerveux pour ne pas dormir plus longtemps. Lyoana est paisiblement assoupie à côté de moi, alors que la lumière du jour filtre à travers le store troué.

J'hésite à caresser son dos à la peau si douce, mais je me retiens, et me lève lentement pour ne pas la réveiller.

Ce n'est pas vraiment une poule de luxe, mais je l'aime bien. J'ai la chance d'être suffisamment connu et apprécié ici pour avoir droit à ses attentions, mais il est vrai que j'ai déjà sorti le Palais de la panade une paire de fois – par intérêt, certes, mais ça compte.

Je m'habille vite fait, sans faire de bruit. Un petit baiser sur la joue, et je pars alors qu'elle somnole encore.

>> <<

« Charmantes, ces attentions pour une simple prostituée. Je ne te savais pas aussi fleur bleue, Cyrrus. Mais que va en penser ta femme, ça…

— Bah, elle a que vingt ans, et… »

Je m'arrête et réalise tout ce que je viens de dire. J'ai tout déballé, alors même que j'ai toujours caché Lyoana à mon équipe.

Mon regard est instinctivement attiré par le verre de *burandi*, et je ne peux m'empêcher de parler.

« Reno… Espèce d'enfoiré, tu m'as filé un sérum de vérité ! C'est quoi, du *thiopen* ? Du *R-SP117* ? »

Il sourit.

« Voyons, Kid… Tu devrais toi-même comprendre qu'il s'agit d'autre chose, non ? Mais continuons. Tu as ensuite retrouvé ton équipe, je suppose ? »

Chierie, il a raison ! J'essaie de me contrôler, mais j'obéis et lui raconte tout. Son produit est différent de tout ce que je connais… et bien plus efficace.

<< 4 >>

*17h 12*

On nous a donnés. Mon intuition s'est transformée en certitude quand j'ai repéré des condés en civil qui surveillaient discrètement nos deux lieux de rendez-vous habituels. Mes gars les auront remarqués aussi. Nous avons prévu le coup : avec chacun d'entre eux, j'ai un point de chute de secours.

Évidemment, je retrouve Chacal en premier, dans un supermarché. Il m'attendait en lisant la presse du jour, où notre petite entreprise ne fait qu'un entrefilet. Rien d'exceptionnel ici, après tout.

On discute de la veille. Il masque sa nervosité en fumant une de ces clopes elfiques qu'il aime tant. Monsieur a des goûts de luxe – une cartouche de ces trucs-là peut lui coûter jusqu'à un mois de salaire !

« C'était qui, les connards ?

— Je sais pas. Des locaux, mais lesquels ?

— On aurait été donnés, tu penses ?

— Possible. Ou alors on leur a piqué leurs cibles.

— Je préférerais cette option, mais… »

Sa voix s'éteint.

Mon silence est aussi éloquent que le sien.

Nous retrouvons sans embrouilles Zief, puis Firre, plus tard.

Je ne l'ai pas vue ou entendue réagir hier soir et je lui en fais la remarque.

« J'étais à quelques pas derrière vous, tu te rappelles ? Deux lourdauds m'ont coincée. J'ai été obligée de jouer du couteau pour m'en tirer. »

Elle tire la gueule. Rien de surprenant ; je sais à quel point elle déteste ce genre de situations.

Nous faisons alors les comptes. Entre la came et le blé, nous pouvons, tous les quatre, vivre largement pendant quelques semaines après avoir payé le plus important.

« OK, je vais pouvoir négocier demain. Comme la dernière fois, Zief, tu viens avec moi. Firre, Chacal, nous avons un compte à régler. Enquêtez discrètement à propos d'hier soir, pour savoir qui sont nos nouveaux amis. Vous décrochez au moindre doute, votre survie passe avant tout. »

<< 5 >>

Nous nous séparons ensuite, et je retourne au Palais des Douceurs après avoir mangé un morceau.

Quelques courts ébats plus tard, je me retrouve à discuter avec Lyoana. Nous parlons de ses rêves, de son avenir – ou de ce qui en tient lieu… Moi, confident d'une prostituée ? L'idée même en est risible, mais c'est pourtant ce que je fais ce soir-là. De ce qu'elle m'en dit, quelques-uns de ses michetons mériteraient une belle correction.

Elle me réveille vers 13 heures, me signalant qu'un truc vibre dans mes affaires.

Mon RCom-It. Il n'y a que nous pour utiliser ce genre de petits récepteurs radio. Avantage majeur dans notre métier : ils sont tellement primitifs qu'ils ne sont pas géo-localisables.

Je regarde le message codé et les photos associées.

*Super. La fête continue…*

>> <<

« C'est le dernier que tu m'aies envoyé, Reno.

— Auquel tu n'as pas répondu, me dit-il en souriant.

— C'est vrai. Je comptais gérer les conséquences de ce bordel plus tard, en te parlant des Crânes de Fer, évidemment… Ceci dit, nous ne savions pas qui les deux costards étaient, comme tu l'auras compris.

— Et vous vous en moquiez complètement !

— Ben oui ! Comment j'aurais pu deviner qu'ils étaient de la maison ? Des cadres comme eux n'avaient rien à foutre en terre étrangère dans des conditions pareilles ! »

<< 6 >>

*9 Melnidor, 00h 40*

L'Ascension est une boîte de nuit bien connue d'une certaine population de fêtards hardcore abrutis de bruits servis comme sauce musicale, mais aussi des activistes parascientistes de toutes catégories. Le genre d'endroit totalement impensable à Spalan, tout du moins pour la seconde moitié du programme.

Sans être luxe, on est loin de la moiteur glauque d'un rade bas de gamme. La salle n'est pas très grande, et bien plus haute que large ; la déco, majoritairement métal nu sur fond noir, rehaussée de peintures luminescentes représentant divers symboles arcanes, donne une ambiance assez froide et irréelle. Le dancefloor est souvent bondé, mais il y a toujours du public qui vole et danse en plein air sur les vagues de sons tonitruants vomis par les baffles, un peu comme un banc de poissons d'aquarium à la chorégraphie disjointe.

Ça surprend la première fois.

Il y a aussi cette sensation très particulière, ce chatouillement assez désagréable qui parcourt la peau quand on entre, alors que le nez est assailli par cette odeur un peu piquante. Irritante pour moi, mais émoustillante pour les gens comme Zief.

Eh oui, ici, la magie s'affiche. Que les dragons, ces monstres maîtres de l'arcane, aient opprimé le monde entier pendant des siècles n'a guère laissé de stigmates à Cascio-Ferro, loin de là. À l'Ascension, implants, déguisements et tatouages (enchantés ou non) vont et viennent au gré des modes, mais l'arcane et les gros lézards y sont des classiques toujours appréciés.

Le fin du fin, ici, est de voltiger après avoir pris du *trancer*. Cette drogue magique vaut cher car la recette est jalousement gardée par un petit groupe très secret. La substance n'est pas très addictive en elle-même… contrairement à ses effets. Elle permet de relâcher presque tout contrôle de son corps, pour que les muscles obéissent au rythme de la musique et des vibrations sonores. Difficile de tripper plus que ça ; c'est tellement extatique qu'on ne s'en lasse pas, visiblement. Paraît même qu'il y a eu des morts.

>> <<

« J'imagine que vous n'avez rien trouvé là dessus ? » me lance Reno, sarcastique.

Je soupire de dépit.

« Non, et c'est pas faute d'avoir cherché, parce que je t'assure qu'il y aurait du fric à se faire ! »

Il se contente de me toiser, un peu dépité.

« À propos… Ce *trancer*, vous y avez touché ?

— Je pense que Zief l'a fait, une fois ; il est trop curieux. Pas moi. »

<< >>

Nous sommes déguisés nous aussi, histoire de passer incognito et faire couleur locale. Zief se la joue gros mage dans sa toge de bure rehaussée de fils d'or – un rôle sur mesure pour lui. Quant à moi, avec (je le cite) « mon port hautain et mes cheveux blonds », je fais un bon elfe. Quelques prothèses jetables pour les oreilles, des tatouages magiques à durée limitée, et hop, le tour est joué.

Problème. Je me suis renseigné au bar ; notre contact est bien dans la place, à son endroit habituel… soit le dernier balcon, tout en haut de la salle. Qui n'est, bien sûr, accessible que par les airs – oh, j'imagine bien qu'il y a des escaliers interdits au public, pour le service.

Mon mage est toujours en train d'étudier la salle et l'assemblée, un léger sourire sur les lèvres. Avec ces lumières bleues, j'ai vraiment l'impression d'être au fond d'un aquarium, entouré de poiscailles. Manque plus que les algues pour s'y croire.

J'ai déjà envie de me tirer, ces dingueries d'arcanie ne sont pas pour moi. Je hurle à l'oreille de Zief :

« Comment on y va ? »

Il me montre plusieurs des glyphes peints sur les murs.

« Tu vois ceux-là ? Ils maintiennent les danseurs en lévitation. Il suffit juste de savoir les activer. Allez, viens ! »

Il est à l'aise, s'amuse, et m'entraîne à sa suite au milieu de la foule mouvante, agitée de spasmes en rythme avec la cacophonie électro-technoïde. J'essaie de voir s'il fait un geste particulier, quoi que ce soit qui puisse « activer les glyphes », mais nada. Nous nous envolons doucement jusqu'au plafond. Sensation bizarre…

Notre contact nous attendait. Ce grand maigre au costard défraîchi porte avec ostentation de nombreux bijoux et autres breloques – plus ou moins magiques, comme je peux le voir avec mes lunettes. Il est confortablement installé sur la banquette en cuir craquelé du balcon, et finit de vider son verre alors que nous nous asseyons en face de lui.

« Messieurs… »

J'attaque direct.

« M. Dimitris ? Nous venons pour les données draconiques. »

Il se redresse, nous regarde attentivement l'un et l'autre.

« Bien. Figurez-vous que, peu après vous, j'ai été contacté par d'autres acheteurs potentiels, qui m'en proposent le double… »

J'aurais dû m'en douter, il nous fait le coup de la concurrence pour faire grimper les prix.

Je jette un coup d'œil en coin à Zief. Il a tiqué lui aussi. Le double… une sacrée somme ! Cet escroc sait qu'il est indispensable, et que quiconque s'attaque à un indic et receleur comme lui est complètement grillé.

Zief me fait signe de laisser passer. Nous sommes d'accord, je n'ai aucune envie de marchander.

« OK, on paye.

— Vous ne négociez même pas ? Je suis déçu. »

Il claque alors des doigts. Une petite perturbation lumineuse, comme une sorte de nuage secoué de vibrations colorées, apparaît à hauteur de sa main droite. Main qu'il plonge directement dedans.

Il en ressort très vite une boîte réfrigérante, qu'il ouvre pour nous montrer deux clés mémoire et une série de vingt-deux fioles opaques. Dans celles-ci, à en croire les étiquettes, des cellules de dragon.

C'est bien ce qu'il nous faut. J'opine, et le vortex disparaît d'un autre claquement de doigts.

Zief a un regard gourmand et curieux.

« Stockage extra-dimensionnel ?

— Précisément. Personne d'autre que moi ne peut y accéder, ce qui est très pratique dans notre milieu. »

Je me désintéresse de la conversation, ils vont parler boutique. Ah, ces arcanistes...

Je rumine en recomptant le pognon. La mission est réglée, c'est le plus important. Mais ils sont difficiles en affaires, ici, dès que ça concerne les gros lézards – ça se voit que Cascio-Ferro est longtemps restée un bastion de fidèles de ces saloperies à écailles, domination tyrannique ou pas.

Alors que je récupère le colis, Dimitris me demande :

« Ne voudriez-vous pas un peu de *trancer*, pour bien profiter de la soirée ? Je vous fais un prix... »

## 01h 07

Nous sommes sur le départ quand un grand troll – un sale truc verdâtre de trois mètres de haut, couvert de pustules immondes – nous bloque le passage et demande qu'on le suive.

Avec un déguisement aussi lamentable, ça sent les foireux. Que nous ayons des emmerdes après ce rendez-vous ne me surprend pas, mais je ne m'attendais pas à avoir l'opportunité de frapper en premier. J'hésite, prêt à dégainer, à forcer le passage.

Je ne comprends pas : tout le monde – moi inclus – se met alors à bouger au ralenti. J'ai l'impression d'être dans un sirop épais. Bizarrement, mes perceptions sont accentuées, j'ai conscience de tout ce qui m'environne ; si le volume des sons baisse – sauf celui des battements de mon cœur – les lumières deviennent plus crues, plus tranchées, éblouissantes.

J'ai envie de frapper, mais je me rappelle qu'il y a une règle à l'Ascension : *pas d'esclandres.*

Soit. J'abandonne l'idée de me battre, et accepte l'invitation.

Tout redevient normal autour de moi. Sensations imaginées ou enchantement sur mon esprit, je ne sais pas.

Le troll nous amène donc vers une femme, sapée en kimono comme une guerrière exotique. Elle m'invite à venir le lendemain, dix-huit heures, à la Fount. Elle insiste bien pour que je vienne avec toute l'équipe, et « le produit de la récente transaction ». Sinon, me dit-elle, des infos intéressantes pourraient circuler, sur notre rôle au dock 27…

<< 7 >>

*9 Melnidor, 17h 50*

La Fount. Rien d'une fontaine, vraiment.

La plus grande décharge de Cascio-Ferro, foyer de corruption rouillée et autres mutations dangereuses, a envahi une lagune entre la ville et le Llyaran voisin. C'est le terrain neutre le plus couru pour toutes les discussions tendues et importantes : la masse de déchets métalliques, arcanes et que-sais-je encore, brouille toutes les ondes ainsi que l'espionnage magique à la boule de cristal. Paraît qu'il y a eu pas mal de batailles pour le contrôle de la zone, mais en ce moment la neutralité du coin est à peu près respectée.

Faut pas avoir le nez sensible, par ici. Les sifflements du vent, toujours dérangeants, ajoutent des relents d'iode et de poissons crevés. On serpente entre des tas d'immondices ; une ancienne bicoque n'est qu'une coquille vide remplie de sacs poubelles éventrés et de résidus d'égouts, qui débordent par les fenêtres éclatées ; peu après, un squelette démembré est assis dans la carcasse d'une voiture rouillée, au milieu de bidons de lessive vides et de parpaings défoncés. Étonnamment, très rares sont les rats mutants qui nous regardent passer de leurs petits yeux chafouins. Même pour eux, l'endroit doit être trop toxique.

Nous sommes tous les quatre sur nos gardes, armes apparentes mais rengainées. Zief a sorti le grand jeu et nous a bardés d'enchantements protecteurs ; ajoutés à nos gilets pare-balles, ils devraient faire la différence en cas de grabuge. Du moins, nous l'espérons.

L'itinéraire nous amène jusqu'à une zone plane un peu dégagée, entre trois grues rouillées qui grincent dangereusement sous le vent venu de l'océan ; quelques grandes flaques d'huile aux irisations louches y refusent de disparaître, alors que des mauvaises herbes s'accrochent avec ténacité au moindre bout de terre. Nos interlocuteurs sont là, sapés comme des dealers de la belle ville. Ils ont préparé une souricière, et nous la montrent, par politesse : les tireurs embusqués derrière différents monticules de déchets ne se cachent pas. Mes lunettes sur le nez, je repère aisément l'arcaniste du lot.

Nous nous arrêtons à quelques mètres d'eux – la politesse n'inclut pas la proximité.

Passées les formules de courtoisie habituelles, leur chef, d'une voix forte, va droit au but.

« Vous nous remettez données et échantillons draconiques obtenus hier, et en échange nous faisons disparaître les preuves qui expliqueraient à vos patrons qui a réellement tué deux de leurs cadres chéris il y a trois jours. »

Zief a l'air surpris ; Chacal reste impassible comme toujours. Firre me regarde, étonnée et circonspecte.

« Les costards de l'autre soir étaient des gars de chez nous ? me demande-t-elle à voix basse.

— Ouais. »

Chacal hausse un sourcil alors qu'il s'allume une de ses cigarettes d'elfes. M'est avis qu'il n'en sentira rien.

« T'étais au courant, Kid ?

— Depuis hier. Un message du boss. Il me demandait d'enquêter là-dessus. »

Je m'adresse ensuite à nos hôtes.

« Je crains qu'il ne soit trop tard… Nos supérieurs ont déjà une copie des fichiers.

— Ne jouez pas au plus fin avec moi ! Je sais très bien que vous avez fait circuler les données informatiques, mais pas les tissus et le sang de dragon ! »

Tiens donc, il « sait » ?

Je n'en ai parlé qu'à une personne. Puisqu'il y a au moins une balance parmi nous, j'ai fait des cachotteries à tout le monde. Chacun de mes gars connaît quelque chose que les autres ignorent… Je viens d'identifier une taupe !

« Je vois que vous êtes bien renseigné. Malheureusement, je ne les ai pas sur moi. »

Je jette un coup d'œil en coin : Firre se crispe involontairement, bien plus que Zief qui devait s'attendre à ce genre d'évolution. Chacal tire une taffe sur sa cigarette, un très léger sourire à la commissure des lèvres – lui seul savait que je n'avais pas amené les échantillons ici.

Mon vis-à-vis est énervé.

« Mon envoyée vous avait explicitement demandé de les amener. Vous tenez donc tant à ce que messieurs Raclaw et Deltray connaissent vos turpitudes ?

— Il nous en coûtera bien plus si nous ne leur fournissons pas ces morceaux de lézards, vous savez ? »

Ça va dégénérer d'un instant à l'autre. Chacal et Zief sont tendus et prêts à réagir. Firre aussi.

Ce n'est pas le boss d'en face qui prend la parole, mais elle, tout en armant la carabine qu'elle porte en bandoulière.

« Kid, t'es con ou quoi ? Ils nous encerclent et tu les provoques ? Tu veux tous nous faire descendre ? »

Je recule d'un pas, sans sortir mon PM pour l'instant.

« Dis-moi plutôt depuis combien de temps tu bosses pour ces gars-là. »

Une pointe de surprise et de déception passe sur son visage.

« J'aurais dû me douter que tu comprendrais vite. Eh bien… »

Elle hausse les épaules.

« … Depuis que tu as rogné sur nos primes pour t'acheter je ne sais quoi. Ces messieurs payent *bien*, et ça me change. »

À ce moment, le chef mafieux fait un signe. Plusieurs tirs résonnent ; concentré sur Firre, je devine plus que je ne vois Chacal esquiver avec ses réflexes surhumains, alors que les boucliers magiques de Zief encaissent les impacts sans broncher.

Ils n'ont que des balles normales ? Firre ne leur a donc pas tout dit ? Je ne comprends pas, mais je vais pas me plaindre.

Elle lève alors sa carabine sur moi et me tient en joue. Je ne dégaine toujours pas, bougeant seulement de quelques pas sur le côté.

« Rends-toi, Kid, me dit-elle, avant que quelqu'un ne meure. »

Autour de nous, ça flingue, mais ni elle ni moi ne sommes ciblés. Chacal a réussi à se planquer derrière des ordures et semble avoir dégommé quelques tireurs. Des tas de déchets brûlent et explosent, alors que Zief fait ce qu'il aime le plus : balancer de-ci, de-là des boules de feu, de glace… D'autres monceaux de détritus, cachant plusieurs portes-flingues, s'effondrent sous des secousses sismiques très localisées.

Mais des tirs l'ont finalement atteint, malgré ses protections. Non, pas des balles, mais les sortilèges de l'arcaniste adverse.

Je lui crie :

« Maintenant, Zief ! »

Il pousse alors quelques cris gutturaux, étrangement modulés. Immédiatement, Firre pivote sur elle-même en marmonnant un simple mot et lui tire dessus.

Avec elle dans le camp d'en face, on va en chier. Je la connais, sa magie des flingues… La petite balle de carabine, maintenant enchantée, traverse la protection de Zief comme du beurre, et vient frapper mon pote magicien à la tempe.

Du sang jaillit. Il titube, tombe à la renverse… Ses boucliers arcanes clignotent et vacillent, puis disparaissent, comme les miens. Mais à ce moment j'ai dégainé mon PM et tiens Firre en joue.

« Là, t'as passé les bornes. Je peux vous pardonner vos petites conneries, mais pas une trahison ! »

J'appuie sur la gâchette à l'instant même où la terre, toute la Fount, tremble. Mes balles se dispersent alors que résonne le fracas d'ordures qui s'effondrent sur elles-mêmes. Je devine que Firre a été légèrement touchée, puis comme tout le monde je me retourne. La monstruosité arrive.

Zief m'en avait parlé, et les deux autres n'étaient pas dans la confidence – c'était notre petit secret. Il s'avère qu'ici, des tas de déchets ont acquis conscience et volonté propre d'une manière ou d'une autre, et s'animent d'eux-mêmes – les mages scientistes du coin évoquent une « corruption d'énergies magiques rémanentes ». Plus important, ces horreurs peuvent être réveillées par un arcaniste connaissant le secret, comme Zief. Les mafieux ne s'attendaient certainement pas à ce que des gringos comme nous l'utilisent !

Surpris, plusieurs d'entre eux retraitent rapidement, plus ou moins paniqués. Il est vrai que voir débouler, sous une forme vaguement humanoïde, des centaines de kilos de déchets qui vous toisent de plus de six mètres de haut, a de quoi refroidir quelques ardeurs.

Alors que l'arcaniste d'en face crie qu'il ne peut rien faire, je gueule à l'attention de Chacal :

« On se tire ! »

Je ramasse Zief qui gît au sol, sonné – il est vivant mais saigne abondamment de la tempe. J'arrose derrière moi d'une autre rafale de PM, là où était Firre. Elle a eu le bon réflexe de se mettre à couvert.

Alors que le golem lance quelques quintaux de déchets sur les premiers porte-flingues qui détalent, elle me hurle :

« Arrête-toi, ou je vous abats ! »

Elle rêve ! Je vais utiliser le terrain pour qu'elle ne puisse nous avoir, malgré ses pouvoirs.

Quelques instants plus tard, je n'entends pas son tir, mais une explosion nous souffle et nous jette au sol, Zief et moi.

La salope, elle va tout nous faire subir ! Sa magie étrange nous a toujours été utile – elle parle à son fusil et celui-ci fait ce qu'elle veut : des balles explosives, anti-magie, chercheuses…

Eh merde, on va en chier.

Toujours au sol au milieu de cagettes pourries et de sacs plastiques éventrés, je me retourne. Aucun angle de vue sur elle. Je relève la tête, observe aux alentours. Une rafale, et un mafieux qui nous contournait discrètement tombe.

Je recharge.

J'entends Firre plus loin, malgré le bordel ambiant :

« Dis adieu à ton mage, Kid. »

Zief, encore hébété, venait à peine de reprendre ses esprits et de se redresser. Je n'ai pas le temps de le plaquer à terre que la balle se loge dans son dos, finissant sa course dans un poumon. Le tir de Firre, comme un minuscule missile à tête chercheuse, a contourné les obstacles pour l'atteindre.

Si elle espérait arrêter le monstre d'ordures en tuant son invocateur, c'est raté. Il n'a pas été appelé, juste réveillé ; le meurtre de Zief n'y changera rien, le golem sera toujours là pour foutre le bordel.

Firre ne peut pas se permettre de me tuer, sinon elle n'aura pas les échantillons. Tant qu'elle n'aura pas d'angle de tir pour viser directement mes jambes, tout ira bien pour moi, ses balles chercheuses ne sont pas précises à ce point. Sinon, mes genoux seraient déjà de l'histoire ancienne.

Une explosion de déchets non loin de l'endroit où Firre se trouvait me rassure quelques instants. Elle a d'autres problèmes à gérer.

Je me décale un peu, traînant le corps de Zief derrière moi, puis je planque celui-ci en le recouvrant d'ordures. Ce n'est pas la meilleure tombe que je puisse t'offrir, mon gars, mais j'ai pas mieux pour le moment…

Bon. Je vais descendre cette pute avant de me barrer. Je ne sais pas où est Chacal, mais je ne m'inquiète pas trop pour lui.

Je réussis à prendre à revers le petit groupe de Firre. Elle accompagne le boss mafieux – blessé par les sortilèges de Zief, visiblement – et deux porte-flingues ; les autres doivent être morts ou ont pris le large. Le golem d'ordures continue son bordel non loin derrière ; il se rendormira quand il en aura marre.

J'ai une position idéale, j'aligne Firre et tire.

C'est fabuleux, l'instinct. Elle s'est retournée dans ma direction et m'a repéré. Je l'ai bien touchée, mais elle a esquivé une partie de mes balles en se planquant derrière le chef, qui tombe dans une gerbe de sang.

Ce n'est pas ce lot de consolation qui suffit à calmer ma colère.

Ils allaient répliquer quand le tas d'ordures ambulant me sauve les miches. Je ne le vois pas, mais au boucan qu'il fait, je devine qu'il s'acharne sur l'une des grues rouillées. Celle-ci penche, tremble et s'incline de plus en plus… Puis la machinerie métallique, dans un horrible crissement assourdissant, s'abat plus ou moins dans la direction des derniers mafieux. Je me roule en boule dans mon coin, le temps que les débris aient fini de voler sous l'impact de la tonne de métal qui vient de se fracasser au sol.

Quelques instants plus tard, je me redresse à moitié. L'air est saturé de particules de rouille et de crasse, et dans ce brouillard je ne distingue plus personne. La gorge me pique, je retiens ma respiration pour ne pas m'asphyxier ou vomir. Il est temps que je tire ma révérence…

Firre paiera, c'est une certitude.

>> 8 <<

« Et te voilà finalement devant moi.

— C'est ça, boss.

— Les échantillons ?

— Pas d'autres soucis particuliers.

— Donne-les-moi. C'est le département scientifique qui va être content.

— Je ne les ai pas ici. »

Reno marque un temps d'arrêt, lève les yeux au ciel… puis me regarde fixement, comme un prédateur.

« Refus d'obéissance, chantage ? Je vois, tu me prends pour un de tes mafieux. Mais n'oublie pas que j'ai ceci. »

Il sort un petit flacon de sa poche, et je me doute bien qu'il s'agit du sérum qu'il m'a refilé plus tôt. Il a gagné, je lui réponds sur la défensive.

« À Cascio-Ferro, on apprend à se méfier et à survivre. Vu les circonstances de mon retour… »

Il me coupe.

« C'est tout le problème, vois-tu ? Il m'est impossible d'envoyer là-bas une équipe totalement incorruptible, qui n'y survivrait pas deux semaines. Même les plus doués en infiltration. C'est pour cela que je suis obligé de trouver des gars comme toi, mon cher Cyrrus, qui soient à la fois assez fidèles à la RCE pour le rester quelque temps, tout en étant suffisamment "adaptables" pour s'intégrer correctement sur place… Mais de là à ce que des troupes d'élite infiltrées – c'est bien ce que vous êtes, non ? – en viennent à jouer les braqueurs sur du trafic de drogue ! Tout ça parce qu'ils ont vécu au-dessus de leur moyens : qui une pute, qui des arcanes magiques…

« — Quoi, Lyoana ? C'est pas elle qui a fait un trou dans le budget ! »

Il ignore ma remarque et reste silencieux quelques instants, me regardant toujours.

« Qu'est-ce qui a merdé ? Et pourquoi, Cyrrus. Pourquoi ? »

Je réfléchis. Très vite, la réponse me paraît évidente.

« Tu m'as nommé chef parce que j'étais le seul à réellement me soucier des autres, non ? »

Il me regarde, un peu surpris.

« Oui, et ?

— C'est exactement ce que j'ai fait. Je le pense sincèrement. Ne serait-ce qu'en laissant à chacun une marge confortable pour mener sa vie privée à côté. Tant que cela n'interférait pas avec les missions, je n'avais rien à dire. »

Il me regarde, l'air de ne pas comprendre, alors j'élabore.

« La liberté et les facilités qu'offre Cascio-Ferro ne sont pas un mythe, Reno. Prends les clopes de Chacal, par exemple : il ne pourrait s'en payer qu'un paquet par mois ici… et encore faudrait-il qu'il le trouve ! Or, à Cascio-Ferro, ce n'est pas un problème. Rappelle-toi l'Ascension, qui ne pourrait exister ici en Drannyr. Je n'aimais pas, mais Zief appréciait beaucoup, et même Firre l'a trouvée pas mal.

» Alors oui, nous prenions nos aises, mais nous étions toujours loyaux à la RCE – enfin, tous sauf Firre, évidemment. T'ai-je désobéi, alors que j'ai pourtant goûté, pour la première fois de ma vie, à une *vraie* liberté ? »

Reno hoche la tête.

« Effectivement, non. Mais cela ne changera rien. À quelques exceptions bien compréhensibles près, ton rapport recoupe celui de Caterina.

— Firre ? Cette traînée t'a contactée ?

— Oui. Grâce à ses nouveaux amis, elle a pu apprendre que Domenic – oui, Juan – était en cheville avec les policiers de Cascio-Ferro, et qu'ils lui avaient demandé d'éliminer nos cadres en goguette. Le directoire mafieux a été au courant tout de suite, et c'est là qu'ils vous ont tendu l'embuscade… et que Caterina a prétendu se rendre et leur offrir de jouer l'agent double.

— J'y crois pas. C'est une ambitieuse sans scrupules.

— Elle l'a fait sur mes ordres. »

Je suis trop estomaqué pour répondre immédiatement. Puis :

« Je la connais. Elle n'en a plus rien à foutre de la RCE, elle aimait trop notre vie d'indépendants. Mais on ne me trahit pas, et on ne tue pas *mes* gars !

— Mis à part la mort de Zief Dayne, je n'ai rien à lui reprocher. Elle a accompli sa mission avec brio. Autant te prévenir tout de suite, je t'interdis de toucher à un seul de ses cheveux. Compris ? »

J'arrive à me retenir de lui hurler à la figure. Son sérum de vérité – ou quoi qu'il m'ait refilé – doit perdre de sa puissance.

Il note mon manque de réponse et mon regard fermé.

« Ce n'est pas comme si tu avais le choix, mon cher Cyrrus. Les mafieux ont tenu parole, et nous ont envoyé des vidéos très nettes de votre petite attaque. Ils veulent ta peau pour leur responsable, mais Benji Raclaw ne te livrera pas, car il compte bien te garder pour lui. Le cousin d'un de ses meilleurs amis a été abattu par Juan ; or il est mort, et tu étais le chef du groupe… Tu comprends bien qu'il faut trouver et punir un responsable.

— Mais merde, à la fin ! Ces cons n'avaient pas à être là, à Cascio-Ferro, pour récupérer de la bête γ-coke ! »

Reno sourit à la vue de ma mine déconfite.

« Je suis bien d'accord avec toi, mais Benji n'en a rien à faire. Je vais voir ce que je peux obtenir de lui, mais pour l'instant tes choix sont limités. Soit tu restes ici et je te mets en prison, soit tu te casses. J'ai déjà tout prévu pour cette deuxième option : on te fera sortir d'ici discrètement, et tu retournes ensuite te mettre au vert à Cascio-Ferro. Je ne pourrai pas te garder comme chef d'équipe là-bas, tu t'en doutes, mais tu seras sous mes ordres comme, disons, agent local subverti. Trouve-toi une vraie planque, une autre identité, et je te ferai passer les consignes et ta paye. Ce n'est pas le boulot qui manque ! »

Le choc passé, je me ressaisis.

« Là où tous les trafiquants de la ville veulent ma peau ? Sympa. Je servirai ensuite de fusible au moment opportun, je suppose ?

— Pas tant que tu ne m'y obligeras pas. Mais si tu préfères, la taule t'attend, avant la peine capitale. »

Il a raison. Mon choix est vite fait.

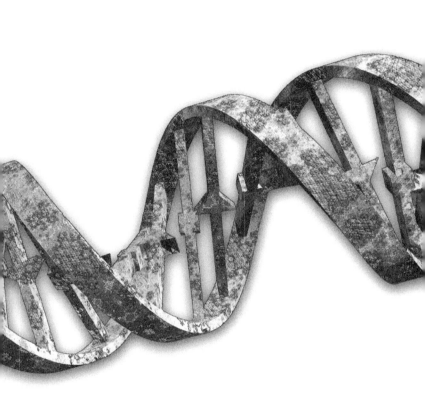

De : Melel Cathrys, responsable de la Base Héra, au nom de Damian Ranshin, Directeur général des Affaires scientifiques et parascientifiques
À : Reno Deltray, Vice-Président

Monsieur Deltray,

Divers rapports, récemment portés à notre attention, mentionnent la fin des ingérences néfastes des droits-de-l'hommistes internationaux et de leurs menaces de boycotts sur les affaires de notre RCE. Ce développement trop longtemps attendu nous ravit particulièrement.

En effet, il est plus que temps de réactiver le Projet Dragon et de passer, enfin, aux tests grandeur nature.
Quelques expériences ont été menées à l'époque, mais aucune sur le corps humain, malheureusement. Or vous n'êtes pas sans savoir à quel point ce projet tient à cœur à Monsieur Damian Ranshin, maintenant Directeur général des affaires scientifiques. Il pense, et j'abonde en son sens comme l'ont montré mes derniers rapports, que cela pourrait nous ouvrir des horizons inexplorés.

Nous comptons tous sur votre bienveillance.

Bien cordialement, et que la RCE soit toujours plus prospère. *Une nation, une entreprise !*

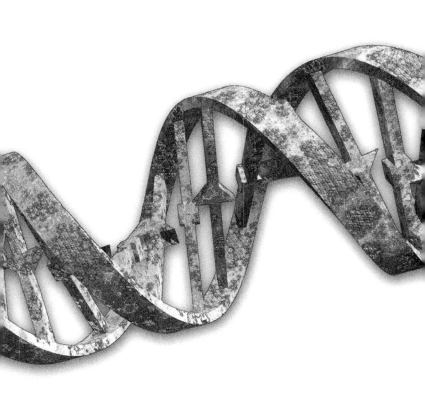

# CLAIRE OBSCURE

Ville de Carfères, Drannyr

Bien à l'abri dans son parc lourdement ceinturé de grillages et de barbelés, le complexe scientifique de la base Héra se lovait dans un écrin à l'herbe méticuleusement tondue, aux arbres rigoureusement entretenus. Propriété de la RCE – comme presque tout le reste du Drannyr – il hébergeait quelques-uns des plus pointus laboratoires d'ingénierie du vivant du pays. Son énorme bâtiment principal, massif bloc de béton rehaussé de briquettes, aux rares fenêtres et aux lignes d'un classicisme post-moderne éprouvé, dominait de ses quatre étages l'ensemble du complexe.

À côté de la seule entrée du domaine, un modeste préfabriqué tenait lieu de poste de garde. À l'intérieur résonnaient les échos de la télévision branchée sur RCE News et leurs infos en continu.

« Maintenant, voici une bonne nouvelle. Vous rappelez-vous quand, en fin d'automne dernier, une terrible explosion dans les tranquilles quartiers résidentiels de la petite ville d'Arcand avait fauché la vie de plusieurs innocentes familles de Drannyréens comme vous et moi ? Eh bien, je suis heureux de vous annoncer que nos courageuses forces de police ont enfin abattu, après une longue traque, la vile parascientiste responsable de ces horreurs. Cette jeune furie, qui avait dix-sept ans au moment des faits, était la fille d'une des familles qu'elle a sauvagement assassinées. Sans doute aucun, son goût pour la déviance arcanique en a fait un monstre. »

Alors que le journaliste continuait à s'épancher sur le rôle glorieux des vaillants défenseurs de l'ordre corporatiste, une sonnerie aigrelette retentit. Grommelant, le garde se leva de son fauteuil et regarda par la fenêtre. Un panier à salade banalisé attendait devant le portail.

Dans l'interphone résonna une voix qu'il connaissait bien.

« Hey branleur, on t'amène la dernière cobaye !

— Je sais… »

Alors qu'il activait l'ouverture, son regard se perdit vers l'écran tridéo. Une adolescente aux cheveux noirs, dont les traits fins faisaient ressortir des yeux bleu-vert bien trop doux pour les atrocités qu'elle avait commises, le regardait fixement.

*Mignonne, la petite… Quel gâchis, quand même !*

## 1

Un étau de brouillard dense enserrait le crâne de Claire.

Elle était complètement ensuquée, la bouche pâteuse comme jamais. Ses paupières lestées de plomb refusaient de s'ouvrir plus qu'à moitié. C'était infiniment pire que cette seule fois où elle avait fumé de l'*herbe-des-fées* avec ses amis.

Une faible lumière verdâtre permettait vaguement de deviner plafond et murs blancs, nus. La pièce où elle se trouvait ne lui rappelait rien.

Elle força sur ses muscles rétifs, voulut se lever. Ou, à minima, se redresser. Mais elle ne put y parvenir. Quelque part dans son état vaseux cheminait l'idée qu'elle était entravée sur ce lit, une perfusion dans le bras.

Entravée, oui. Épuisée, aussi.

Des flashs d'images d'elle fuyant qui ou quoi tentèrent de se frayer un passage jusqu'à sa conscience. Mais l'adrénaline ne fut pas assez forte, et elle retomba dans un sommeil comateux.

*Son père, courte barbe poivre et sel bien taillée, venait d'être blessé par les uniformes rouge-brun qui se massaient devant la maison familiale. Sa mère, puissante magicienne même si elle ne s'en vantait pas, lui dit de fuir avec son petit frère. Ethan n'avait que douze ans, lui.*

Claire sursauta une nouvelle fois, trempée d'une sueur froide, avant de très vite replonger dans cet état second peu confortable, empli de rêves qui la hantaient, seulement interrompus par des réveils nauséeux.

Les murs blancs sans fenêtres, le lit dur aux draps rêches sur lequel elle se trouvait sanglée, l'odeur d'antiseptique, semblaient bien réels et pas le produit d'un énième cauchemar. Le moche pyjama d'hôpital, la perfusion, aussi. Sans même parler de la chape de brouillard plombé qui lui étouffait le cerveau.

Submergée par une immense vague de désespoir et de panique, elle hurla à pleins poumons.

Peu de temps après, la porte de sa cellule s'ouvrit. Un éblouissant plafonnier éclaira l'entrée d'une grande femme, quadragénaire droite au point d'en paraître rigide dans sa blouse blanche d'infirmière, teint bronzé et courts cheveux auburn contrastant avec son regard glacial.

« Eh bien, encore à baver sur ton oreiller, jeune fille ? »

Claire n'avait pas souvenir d'avoir déjà vu cette cynique, sinistre femme.

Le fait était qu'elle ne se rappelait pas de grand-chose. Surtout à propos de ces derniers… derniers elle ne savait pas combien de temps, d'ailleurs.

D'autres souvenirs étaient malheureusement toujours aussi vifs. À peine fermait-elle les yeux qu'elle pouvait revoir son petit frère lui échapper, et se faire engloutir par l'explosion de leur maison.

Mais hormis cela… Non, elle n'arrivait pas à réfléchir.

La femme retira l'aiguille de sa perfusion, fit la moue, et repoussa le pied à roulettes. « Tu n'en as plus besoin », asséna-t-elle en s'asseyant au bord du lit. Puis ses iris d'un brun tout à fait quelconque se mirent à luire, alors qu'elle lui attrapait la main et la tenait fermement.

L'angoisse de Claire augmenta encore quand elle ressentit ce si subtil picotement, à la limite d'un très léger chatouillement, que ses parents lui avaient appris à percevoir. Il y avait de l'arcanie à l'œuvre. Elle ne put rien faire, ne pouvant se libérer, ne…

Une bouffée d'horreur l'envahit. Où étaient donc les géoflux ? Ils paraissaient si distants, quasiment absents !

Claire tenta de se débattre, cria à nouveau, mais tant ses entraves que l'infirmière la maintenaient en place.

« On se calme !, ordonna celle-ci sans ménagement. Tu te fatigues pour rien, personne ne viendra t'aider. »

La jeune femme s'affola. Que lui arrivait-il ? Que devenait sa géomancie ? Ce sentiment de vide lui étreignait le cœur, tout le corps. Il lui manquait littéralement toute une partie d'elle-même.

Claire tenait ce talent de son père. Tout interdit que ce soit en Drannyr sans les formulaires, autorisations et fichages officiels – tout comme l'arcanie que pratiquait sa mère – il lui avait appris à se concentrer et méditer, à écouter la voix du monde, éprouver les vibrations intimes de tout ce qui l'entourait. Chaque géomancien le ressentait différemment, en fonction de son caractère, de sa sensibilité, de son entraînement aussi. Elle-même les visualisait comme des flux d'énergie qui émanaient de la Terre, des roches, même des plantes – ils n'étaient pas couramment nommés « géoflux » pour rien, après tout. Cette chaude pulsation de vie parcourait son corps et la soutenait… Tout du moins dans un environnement naturel ; elle se sentait moins à l'aise dans les bâtiments et autres espaces urbains. Des géoflux y étaient tout aussi présents, bien que différents – canalisés, parfois même désagréables, leurs éléments contraints par la force humaine.

Or, présentement, elle ne les voyait pas, n'arrivait pas à les percevoir, même ceux que sa geôle devait de toute évidence receler – aucune construction ne pouvait être morte à ce point, sinon elle ne serait que poussière. Elle se sentait terriblement mal, comme amputée. Elle était coupée de l'énergie du monde ! Cela ne lui était jamais arrivé, et elle n'aimait pas *du tout*.

Malgré sa peur omniprésente, Claire sentait toutefois l'étau cotonneux refluer sous son crâne. Une nouvelle clarté émergeait, comme si son cerveau réapprenait enfin à aligner des pensées cohérentes.

Elle ne dit rien, ne bougea pas, essayant de comprendre ce tumulte de sensations étranges. Les souvenirs absents, la Terre distante, mais l'esprit éclairci. Elle observa rapidement son environnement – rien d'autre qu'une cellule sans aucune fenêtre, avec WC, lavabo, et deux petites caméras au plafond – puis regarda l'infirmière.

« Où suis-je ? Qui êtes-vous ? »

Celle-ci la lâcha enfin. Sa courte expression de surprise fut immanquable.

« Oh, tu ne te rappelles pas ? Qu'as-tu donc oublié, *cobaye D1* ?

— J'ai un nom ! Je m'appelle Claire Renard ! répliqua-t-elle immédiatement.

— C'est bien, c'est bien, mais comme le dirait mon supérieur : "Et alors ? Tu es morte, ta famille est morte. Ton nom n'a aucun intérêt, contrairement à ton patrimoine génétique." »

Claire était horrifiée. Depuis quand n'était-elle devenue qu'un sujet d'expériences ?

« Quel est ton dernier souvenir ? », demanda froidement l'infirmière.

*Depuis la mort de ses parents, Claire s'était juré de respecter leur pacifisme. Mais lors de cette nuit encore froide de fin d'hiver, ses amis hippies fuient et lui demandent de les protéger. Face au danger, face à sa colère, elle craque. L'énergie de la vie coulant dans le sol répond à sa rage. Elle commande ainsi l'ouverture d'une crevasse sous les pieds mêmes des policiers qui poursuivent ses compagnons communards. Les flics s'effondrent dans le trou, que Claire referme ensuite brutalement. Enterrés vivants, ils retourneront ainsi à la nature. Définitivement.*

*Cela n'a pas vengé ses parents, mais elle se sent soulagée et satisfaite. Jusqu'à voir les regards horrifiés, écœurés, des gens qu'elle a protégés, qu'elle considère comme des amis. Elle s'est emportée, sans réfléchir. La réalisation est douloureuse, la culpabilité terrible. Elle s'excuse platement, sincère.*

*Tout cela pour quoi ? Pour être regardée comme un monstre. À cause de sa géomancie. À cause de sa violence, elle a tué, dans une communauté de pacifistes.*

Son silence persistant – elle refusait obstinément de répondre – ne plaisait guère à la femme en face d'elle.

« Dois-je donc, pour te faire réagir, te raconter tous les examens que nous t'avons fait subir ? Les tests, les piqûres, les prélèvements ? », continua-t-elle, narquoise.

Mais, devant l'effarement ahuri de Claire, elle se sentit obligée d'ajouter, sadique :

« Tu ne te rappelles vraiment pas ? Nous t'avons prélevé des ovocytes. Nous en ferons bon usage, je te le promets. »

Claire hurla. Se battre contre la RCE – même à son corps défendant – était une chose, servir de sujet d'expériences en était une autre !

Elle se débattait encore, pleine de colère, rageant d'impuissance, quand la montre de l'infirmière bipa.

2

Fiona survola le message qu'elle venait de recevoir – le chef la convoquait immédiatement.

Elle se leva du lit, regarda la jeune femme attachée.

*Eh bien, nous ne sommes pas au bout de nos problèmes...*

« J'espère que la mémoire te reviendra rapidement, parce que j'ai autre chose à faire que de te materner. Tu n'es pas la seule cobaye ici, tu sais ?

— J'aimerais aller aux toilettes », fit alors celle-ci.

Après avoir donné des ordres en conséquence, Fiona monta retrouver Melel Cathrys dans son bureau. Cet homme entre deux âges était le responsable de la Base et, à ce titre, il se sentait obligé de porter sa blouse de scientifique serrée comme un uniforme.

Avec lui, Rios Corneli. Fiona le méprisait autant que leur chef commun. Meilleur lèche-cul que scientifique, il était pourtant vraiment doué dans sa partie. Si elle s'occupait des aspects parascientifiques du projet ainsi que de la gestion psychologique des cobayes, lui supervisait tout ce qui était biologique et médical. Ce jeunot avait récemment publié une thèse remarquée, revisitant les vieilles expériences faites avec les premiers échantillons d'ADN draconique, dix-huit ans plus tôt. Il avait ensuite proposé des extensions à celles ayant donné naissance aux droggies – cette nouvelle espèce viable (et particulièrement rentable) de chiens dopés à l'ADN.

Son impulsion avait poussé Cathrys et Damian Ranshin à relancer le Projet Dragon, cette fois-ci en utilisant des sujets humains. Devoir ronger leur frein, le temps que la situation internationale se décante, les avait énormément frustrés.

« Fiona, où en es-tu avec notre chère D1 ? »

Le perpétuel entrain surjoué de Melel ne l'avait jamais impressionnée.

« Nous avons un problème. Elle est amnésique, et je ne sais pas encore à quel point.

— Qu'as-tu à proposer ?

— Pas grand-chose, malheureusement… Il faut attendre. J'ai usé d'arcanie plutôt que de médicaments, ayant préféré éviter les risques d'interactions avec la camisole chimique que nous lui avons imposée précédemment.

— Le protocole est rodé, voyons, fit Rios. Elle était spécialement dosée pour parascientistes !

— Peut-être bien, répliqua-t-elle avec une pointe de condescendance, mais ce cas est une première. Une réaction épigénétique n'est pas impossible, par exemple. Je ne peux donc pas me prononcer sur son lien aux parasciences, ce qui est embêtant pour la suite du programme. »

Après un silence, Fiona reprit.

« Puisque l'on évoque son génome, quels sont les résultats définitifs ?

— Elle possède cent vingt-sept occurrences d'un total de trois bases nucléiques draconiques différentes sur l'ensemble de ses chromosomes, répondit fièrement Rios Corneli.

— C'est un chiffre ridiculement faible…

— Je m'attendais à un résultat supérieur, concéda Melel. Mais Damian estime au contraire qu'elle est dans la meilleure fourchette théorique possible.

— Les quelques écailles qui parsèment le bas de son dos se sont révélées être en kératine, absolument identique à celle de ses cheveux, compléta Rios. Les draco-bases nucléiques provoquent ce genre de mutations, mais elles ne sont pas assez nombreuses pour aller au-delà d'un changement cosmétique. »

Un silence suivit, alors que Melel réfléchissait.

« Fais au mieux, conclut-il. J'espère que ton arcanie s'avérera utile, car Damian Ranshin viendra nous rendre visite demain après-midi pour l'étudier. Et tout comme moi, il souhaite la voir en pleine possession de ses moyens. »

## 3

Ses ovocytes ? Ils lui avaient prélevé *ses* ovules ? Claire, choquée, ne se rappelait de rien, mais cela pouvait malheureusement expliquer l'état de son ventre, ballonné et un peu douloureux.

Un costaud à l'uniforme sombre et un infirmier vinrent la trouver. Matraque électrique à la ceinture, pistolet à seringues hypodermiques en main, le garde était bien équipé et maintenait une distance prudente, pendant que l'infirmier défaisait les sangles la retenant.

*C'est rassurant, au moins ils ne vont pas chercher à me tuer...*

Elle se redressa, le corps raide et crispé par tant d'immobilité forcée. Elle prit le temps de se masser les poignets. Ce simple geste lui fit un bien fou.

Puis elle se leva. À sa surprise, elle n'eut que peu de vertiges, et ne tituba presque pas.

Elle regarda la cuvette des WC, puis les deux hommes.

« Te gêne pas pour nous », rigola le garde.

On l'espionnait aussi par les caméras au plafond. Claire soupira.

Elle se focalisa sur ses souvenirs. Malgré son don naturel, Claire n'éprouvait pas d'affinités pour l'arcanie – c'était bien trop d'études et de par cœur, rien d'instinctif comme le lien avec la Terre de la géomancie. Sa mère avait bien essayé de lui enseigner quelques tours pendant son enfance, avant d'abandonner devant le peu d'enthousiasme de sa fille. Ce n'est que l'année précédente qu'elle avait demandé à apprendre ce petit rituel arcane, en prévision de ses années de lycée et de leurs soirées arrosées.

Se rappeler du sourire un peu dépité de sa mère, alors qu'elles étaient dans la salle de bain, lui fit du bien.

C'était un petit rituel de purification tout simple. « Il faut de l'eau courante, avait alors dit sa mère en ouvrant le robinet du lavabo. Une douche sera bien plus efficace, mais on fait avec ce qu'on a, en général. »

Si elle avait su… Claire espéra qu'il marcherait aussi avec tous ces produits chimiques qu'on avait dû lui injecter. Peut-être aurait-il un effet positif sur sa mémoire ? Elle n'avait rien à perdre à essayer.

Elle tira la chasse d'eau, se dirigea vers le lavabo, l'œil morne. Un simple petit filet d'eau automatique coula.

Elle revoyait sa mère tracer du bout du doigt des figures étranges, et lui demander de les refaire plusieurs fois. « Travaille bien ces glyphes, avait-elle insisté. Maîtrise-les, et ils permettront à ton corps d'évacuer les toxines avec l'eau, tout comme le savon permet d'enlever la crasse. »

Elle pleura face à l'intensité de ce souvenir. Elle hésita en dessinant, le plus discrètement possible, les fameux symboles mystiques, du bout du doigt, sur le dessus de ses mains, plusieurs fois. Elle pleura encore, les mains sous l'eau, pour sa famille disparue.

L'eau s'arrêta de couler. Elle se sentit épuisée, mais peut-être avait-elle les idées un peu plus claires. Là, elle avait juste envie de manger, beaucoup. Chaque chose en son temps ; elle verrait pour s'évader juste après. Elle ne se sentait pas encore de taille à affronter une quelconque adversité, surtout sans sa géomancie.

Refusant de prendre le moindre risque avec elle, les deux hommes la sanglèrent à nouveau sur son lit. Elle dut attendre longtemps avant que l'on ne lui apporte un peu appétissant – et d'ailleurs insipide – plateau-repas. Elle le dévora néanmoins.

Elle en réclama un autre, en vain.

De quand datait son dernier vrai repas ? Est-ce que…

Peut-être dans ce bouge miteux qui lui revenait à l'esprit ? Le souvenir semblait assez récent, en tous cas.

# 4

À Carfères comme ailleurs, des quartiers entiers de barres d'immeubles décrépites voisinaient avec squats et bidonvilles. Les uns et les autres accueillaient les exclus du système RCE – ceux qui n'avaient aucune « utilité sociale », selon le jargon de l'entreprise – et ceux qui trimaient pour un salaire de misère.

Des réseaux alternatifs, plus ou moins éphémères, s'y développaient toujours, et Claire trouva finalement ce qu'elle cherchait. *Chez Korgull* n'était guère plus qu'une gargote, mais les piliers soutenant l'auvent de l'entrée montraient, parmi les sempiternels graffitis, divers symboles discrètement gravés. Depuis ses mois d'errance, Claire savait reconnaître ceux qui désignaient un havre sûr.

Ce n'était pas le vieux matou pelé posé sur le toit, avec ses écailles et ses dents terriblement reptiliennes, qui lui ferait peur. Cette sorte de droggie version féline la regardait avec un manque d'intérêt marqué ; dragon ou pas, il était le roi de son monde, comme tout chat qui se respecte.

Elle entra dans la pénombre. Chichement éclairé par quelques ampoules nues, l'endroit était désert. De vagues relents d'alcool, de détergent et de tabac froid lui chatouillèrent le nez alors que ses yeux s'habituaient à la faible luminosité.

Hormis le barman, qui rangeait sans hâte de nouvelles bouteilles au frigo, une seule femme était présente, assise dans un coin sombre. Ses vêtements étaient remarquables : amples, sorte de ponchos et de longues robes tribales aux motifs à la fois géométriques et floraux, ils évoquaient immanquablement les habits traditionnels des tribus nomades des Plaines et Plateaux de Lodraasi, très loin à l'ouest…

Elle pouvait représenter la réalisation d'un rêve absolument fou. *Vais-je enfin pouvoir quitter le Drannyr ?*

Après une courte discussion avec le barman, celui-ci fit les présentations ; panich en main, Claire s'installa à la table de cette Fiona.

« Pourquoi une jeune comme toi voudrait-elle fuir le pays ? », demanda directement celle-ci.

Habits exotiques certes, mais son accent était celui de Spalan. *C'est louche... Mais je ne peux laisser tomber cette opportunité.*

« La RCE a tué ma famille. Je refuse de rester ici et de subir cette dictature une minute de plus. Je veux rejoindre les Communes libres du Darromar.

— Pourquoi pas... Elles prospèrent, après tout, pas comme ici. Comment paieras-tu ton passage ? »

Claire avait consciencieusement évité de se poser la question jusque là. Elle hésita avant de répondre.

« Je suis géomancienne. Peut-être pourrions-nous nous arranger ? »

L'air calculateur et intéressé, Fiona sortit d'un repli de ses vêtements une boule de plastique informe qui, dès qu'elle ouvrit sa main, se transforma sous les yeux ébahis de Claire en un téléphone comme elle n'en avait jamais vu. Même l'écran tactile s'était formé à partir de cette masse amorphe !

« Oui, fit Fiona qui avait noté l'expression de surprise, il existe des arcanotechs très intéressantes hors de la RCE. »

Elle l'avait déployé dans sa main gauche en une surface convexe, ce qui empêchait Claire de voir ce qu'elle consultait.

« On parle d'une parascientiste en fuite, liée au camp de la Commune libre et pacifiste de Jiford. Pour une non-violente, elle a fait du dégât lors de l'élimination de ladite commune... C'est toi, n'est-ce pas ? »

Claire se ferma.

« Ne nie pas, demanda Fiona, et parle-moi plutôt de tes talents.

— Je... Je n'ai fait que protéger un petit groupe, rien de plus...

— Il a fallu des chiens pour retrouver les corps qui étaient engloutis sous terre, paraît-il.

— J'étais énervée, alors... »

Elle hésita avant de reprendre, mais l'envie de parler fut plus forte.

« C'est difficile à dire. J'ai toujours eu tendance à être bourrine et à aller trop loin mais, comme ma famille, j'essayais autant que possible d'être non-violente. Quand… Quand les GEMs ont attaqué notre maison, j'ai voulu me battre, mais mes parents ont refusé. Ils sont morts pour nous protéger, mon frère et moi. »

Claire s'arrêta. Ces souvenirs étaient douloureux.

« À Jiford, j'ai simplement craqué et suivi de vieux réflexes. »

*Je me suis juré de ne pas le refaire.*

« Mes parents avaient raison. La violence ne résout rien, surtout contre la RCE. Ils en ont le monopole. »

Fiona eut l'air déçue.

« Ne crois pas cela. C'est précisément le but de leur propagande, car c'est ce qu'ils craignent le plus. La RCE ne peut être abattue par des gentils babas avec des fleurs dans les cheveux.

— On ne le saura pas si on n'essaie pas. »

Fiona soupira.

« Veux-tu que je te donne les statistiques ? Le nombre de morts, de groupes hippies éliminés ? L'essai dont tu parles a été tenté plusieurs fois. Et il a toujours été écrasé dans le sang, malheureusement. Tu es bien placée pour le savoir… »

Elle hésita à son tour, avant d'ajouter :

« Que dirais-tu de m'aider à détruire un centre d'expérimentations scientifiques ? Du type qui utilise des cobayes humains ? »

Claire la regarda, l'air ahuri, confuse. Elle savait la RCE capable des pires horreurs, mais à ce point… Pire encore, cette inconnue lui proposait ni plus ni moins que de se jeter dans la gueule du loup – une gueule vraiment dégueulasse, d'ailleurs.

Serait-elle capable de quitter le Drannyr en laissant de telles abominations se produire ? Elle ne savait pas. Elle n'y était pas encore confrontée, après tout. Jouer la prudence était la seule réponse sensée.

« Avez-vous des preuves de ce que vous avancez ? »

Fiona se contenta de pianoter sur son téléphone puis de le tourner vers elle, pour lui montrer la photo d'un jeune homme que Claire reconnut immédiatement, malgré l'éclairage, malgré ses traits émaciés. Linel, de la commune de Jiford.

*Oh merde non…*

« Comment avez-vous eu cette photo ?

— J'y suis infiltrée.

— Que proposez-vous ? demanda-t-elle prudemment.

— Ni plus ni moins qu'un sabotage total du laboratoire. Tu m'aides à accomplir cela, et certains de mes amis te feront passer la frontière sans encombre.

— C'est… C'est un peu cher payé, quand même !

— Tu n'as pas encore essayé de traverser, et cela se voit », asséna Fiona pour toute réponse.

Voilà bien une affirmation facile et péremptoire.

Cette violence ne lui plaisait pas, pourtant l'idée même de planter une épine dans le pied de la RCE était jubilatoire. *À mon âge, Papa était écoterroriste. Oh que je comprends !*

Claire pensa à Linel et aux autres victimes. Réagiraient-ils comme ceux de Jiford ? Leur incompréhension, leur rejet, l'avaient profondément blessée. Mais pourrait-elle ignorer la détresse de ces gens ? Probablement pas.

« Est-il possible de libérer les prisonniers ? Nous nous devons de trouver un moyen, non ? »

— Cela sera difficile, sois-en sûre, répondit Fiona, agréablement surprise malgré tout. Je te laisserai t'en occuper, j'aurai fort à faire de mon côté. Cela te convient-il ? »

Claire se contenta d'opiner.

« Je te ferai entrer dans la base comme une nouvelle assistante, continua la femme. Il nous faudra probablement quelques jours, voire quelques semaines, avant d'établir un plan efficace. Attention : n'essaie pas de me doubler, ou tu finiras légume et cobaye avant même de t'en rendre compte.

— Je ne suis pas une ordure ! »

Fiona sourit.

« Alors, qu'en penses-tu ?

— Laissez-moi le temps d'y réfléchir… »

Claire reprit une bouchée de son panich. Le silence s'installa alors que Fiona pianotait sur son téléphone étrange.

À peine quelques minutes plus tard, une escouade d'uniformes bleus déboula dans le bar, armes au poing.

« Bichaq ! jura Fiona entre ses dents. Changement de plan ! »

Claire n'eut pas vraiment le temps de réagir. Un violent électrochoc la parcourut et lui fit douloureusement perdre connaissance.

## 5

Maintenant qu'elle avait recouvré ses souvenirs, Claire savait qu'elle ne pouvait s'en prendre qu'à elle-même. Elle était désespérée après le drame de Jiford, voulait quitter le Drannyr le plus vite possible, et s'était donc révélée suffisamment bête et naïve pour croire la première venue. *J'avais tant besoin de parler que j'ai tout déballé à cette...* Non, aucune insulte n'était au niveau d'une telle bassesse.

La colère monta en elle, irrépressible, tant envers cette Fiona ou la RCE qu'envers elle-même.

Claire ferma les yeux et se concentra, cherchant les géoflux qui l'entouraient.

Ceux-ci paraissaient toujours aussi lointains et distants. Elle voulut les attraper, les sentir couler à travers elle ; mais elle ne les voyait pas, ne les ressentait qu'à peine. Même celui de sa prison, si ténu et insaisissable.

Elle grogna de frustration, frustration qui augmentait à chaque tentative, à chaque échec cuisant. Mais elle s'obstinait, encore et encore, nourrissant une rage qui la consumait déjà.

Entre deux tentatives, elle gambergeait, alors que tous ses souvenirs de ces derniers jours lui revenaient. Non, elle n'était pas seule, il y avait d'autres victimes. Elle en avait vu les preuves sur les PCs. Lors des tests.

*Quelle humiliation !* Ils l'avaient forcée à se déshabiller devant eux, pour la mesurer sous toutes les coutures et s'extasier des écailles dans son dos. Ils la considéraient comme un simple numéro, un sujet de tests, rien de plus.

Claire se sentait de plus en plus mal. Vide, frustrée, en colère. Le temps passait, rien ne changeait. Ligotée, elle ne pouvait dormir correctement. Elle enrageait de son impuissance. Cette inaction forcée était le pire de tout.

Quels choix avait-elle ? Se débattre en hurlant ? Coupée de la Terre comme cela, elle allait s'étioler et mourir comme une plante sans eau, sans soleil. Ils l'avaient amputée de son don, elle ne savait comment. La panique gagnait du terrain.

D'autres images, d'autres paroles, lui revenaient en tête. « Géomancie affaiblie », avait dit cette Fiona, sous-entendant que son talent ne serait pas en cause ? *Ah, si seulement !* Mais ce n'était pas crédible. Elle ne pouvait se fier à une ennemie. La RCE ne pouvait être toute puissante au point d'arriver à bloquer les flux élémentaires de son environnement.

Ce qui revenait à dire que son don était blessé voire perdu.

Toutes ces pensées ressassées en boucle la rendaient complètement chèvre.

Il lui fallut longtemps pour sombrer, épuisée, dans un vague sommeil peu réparateur.

## 6

Passé un petit déjeuner frugal et sans saveur, deux gardes l'entraînèrent hors de sa cellule.

Refuser ne servirait à rien. Donner des coups de pieds ou mordre serait futile. Mieux valait rester attentive pour saisir toute opportunité de fuite.

Ce n'était pas la première fois qu'elle sortait de sa chambre, mais elle eut l'impression de découvrir cet univers de couloirs sans âme et de portes sécurisées, aux lumières artificielles crues, peuplé de caméras de surveillance et d'agents de sécurité, avec parfois de rares volées de blouses blanches.

On l'amena au rez-de-chaussée, où elle dut entrer seule dans une grande salle coupée en deux par un rideau de grillage abaissé jusqu'au sol. De son côté, il n'y avait rien, hormis deux plateformes surélevées où des vigiles – fusils à seringues, pistolets au côté, l'air encore plus patibulaire que la moyenne – l'attendaient en montant la garde, soutenus par des drones volant au niveau du plafond.

Une bonne dizaine de mètres plus loin, derrière la grille, se trouvait une sorte de chenil, aux grandes et peu rassurantes cages, dont elle ne voyait pas les occupants. L'odeur, bestiale bien plus qu'animale, l'avait prise à la gorge dès qu'elle était entrée. Ces grognements, sourds, terribles, jouaient sur ses nerfs. Ses tripes se serrèrent encore plus quand elle remarqua certaines taches sombres au sol, sur les murs. Du sang, évidemment.

Elle se tourna vers le mur gauche, où se découpaient toute une enfilade de vitres sans tain. On l'observait, sans surprise. Geste futile mais qui lui fit plaisir, elle leva un doigt dans la direction des voyeurs invisibles.

Pour toute réponse, une série de déclics, puis de grincements métalliques, se firent entendre côté chenil.

Les grognements se muèrent en aboiements rauques et puissants. Un frisson de peur primale, atavique, la parcourut, car elle avait déjà compris. S'ils avaient l'allure de chiens, c'étaient des créatures monstrueuses, au poil ras entre les écailles, aux muscles hypertrophiés, de la taille d'un poney, avec une tête plus reptilienne que canine, et une mâchoire aberrante. Sans parler des yeux déments à la pupille verticale.

Claire ne pouvait que reconnaître ces monstres de droggies. On n'en voyait pas tous les jours, fort heureusement, mais ils étaient devenus un cauchemar pour tous les rebelles et réfractaires du Drannyr.

Elle se recula, inquiète. Derrière la grande grille, les monstres grognaient et aboyaient, sentant sa peur. Elle n'essaya même pas de les amadouer, ce serait peine perdue.

La grille se releva un peu, excitant les monstres, qui trépignaient d'impatience. Ils tentèrent frénétiquement de passer dessous pour venir la déchiqueter et se repaître d'elle.

Elle devait s'évader. Maintenant. Elle était au rez-de-chaussée et n'avait jamais eu de meilleure opportunité depuis son arrivée dans cet enfer !

Claire se plaqua contre le mur du fond. Elle n'avait aucun espoir de réussir une quelconque géomancie, mais quand la grille fut relevée un peu plus, ses doutes passèrent à la trappe. Fatiguée, effrayée, elle réagit à l'instinct et se concentra, les mains bien à plat contre le béton nu, les yeux mi-clos, partant à la recherche du moindre géoflux à utiliser.

Elle eut l'impression d'évoluer – plutôt de chuter, en fait – dans un abysse sans fond, à tendre le bras, la main, pour enfin attraper quelque chose, nouer le contact… et faire chou blanc, ne trouver que du vide à chaque fois.

Ignorant totalement les droggies, elle plongea toujours plus loin, plus profond, à la recherche de ce contact fuyant, percevant parfois un vague écho des murs qui l'entouraient, de la vie autour d'elle. Sa panique montait, nourrissant sa rage de vivre, son désir viscéral de s'en sortir.

Elle se visualisa saisir de force un géoflux, n'importe lequel, d'une impérieuse main griffue et écailleuse.

Le miracle se produisit enfin. Elle sentit vibrer sous ses mains l'énergie du bâtiment lui-même, d'une manière certes étouffée, mais elle reconnaissait ce géoflux typiquement urbain de force contenue, de dédain de la vie, de création et de destruction simultanées. À ceci, toutefois, se rajoutait en toile de fond comme une sensation diffuse d'échos, de reliquats de cauchemars terrifiants. Son corps entier en trembla violemment.

Mais elle refusa de se laisser submerger, et se concentra sur ce qu'elle ressentait de mieux : la froideur du béton sous ses pieds nus, la destruction inhérente à toute activité humaine. Il paraissait tellement facile de s'approprier les vibrations, de manipuler l'essence et la puissance d'un lieu comme celui-ci. Elle canalisa donc ces forces d'entropie, se laissa complètement aller pour arracher leur énergie aux grains de sable, fragilisant les parpaings. Une sensation malsaine circulait en elle, des insectes noirs et nauséeux lui couraient sous sa peau qui la démangeait. Elle sentait le mur se désagréger à son contact, doucement d'abord, puis de plus en plus vite. Bientôt il serait suffisamment friable pour qu'elle puisse passer au travers !

Une douleur, une piqûre fulgurante, la sortit de sa transe.

Claire ouvrit les yeux, arracha l'aiguille plantée dans son bras, mais le mal était fait : elle avait perdu sa connexion au géoflux.

La rage au cœur, titubant sous le coup de vertiges, elle prit conscience de son épuisement. Sur leurs plateformes, les gardes la tenaient en joue, tandis que d'autres venaient la récupérer. Elle leva les bras en signe de reddition.

Ils ne perdaient rien pour attendre. Le blocage était toujours là, mais elle avait compris comment le dépasser et retrouver son don, son lien avec le monde. Il lui suffisait de faire appel à la rage de son ancêtre dragon, après tout.

Mais, finalement, c'était une bonne chose qu'ils l'aient arrêtée. Elle n'allait penser qu'à sa pomme. Pour ses parents, leurs idéaux, elle se *devait* de ne pas oublier les autres victimes, toujours prisonnières. Sinon elle ne valait pas mieux que cette foutue RCE.

Ces dernières réflexions l'accompagnèrent alors que le somnifère la plongeait dans l'inconscience.

## 7

De l'autre côté de la verrière sans tain, la discussion battait son plein. Le colonel-arcane Boyd, en particulier, était fasciné. La quarantaine grisonnante, grand, musclé, il était depuis seize ans dans le top vingt des meilleurs arcanistes de la RCE. Responsable de la sécurité de la Base Héra, il ne s'occupait pas des recherches, se contentant d'en évaluer les résultats en termes de sûreté et d'intérêt militaire. Ici, il ne répondait à aucune autre directive que celles de Melel, mais Fiona savait que sa réelle loyauté allait au bureau national du Maintien de l'Ordre, à Spalan.

« J'ai encore veillé aujourd'hui à l'activation de notre isoldämer. Que cette fille ait réussi à passer outre est pour le moins impressionnant ! Certes, l'efficacité de notre artefact ne peut être absolue, mais la grande majorité des géomanciens des GEMs serait incapable d'endommager le béton en deux minutes, dans des conditions pareilles, comme elle vient de le faire !

— En un tel laps de temps, quiconque détient une arme à feu a gagné, fit remarquer Fiona. La géomancie n'est pas un art de combat.

— Il faut voir le problème différemment. Il est question d'utilisation tactique du terrain, en affaiblissant les ennemis de toutes les manières possibles, et… »

Melel le coupa.

« Dans d'autres circonstances, cette discussion pourrait s'avérer passionnante, mais ce n'est pas le sujet. Nous devions simplement tester si les droggies réagissaient d'une manière ou d'une autre à son ascendance draconique, rien de plus.

— Il semblerait donc que ce ne soit pas le cas, compléta obligeamment Rios Corneli. La donne sera différente dans quelques jours ; je suis sûr qu'ils la reconnaîtront naturellement comme chef de meute à ce moment. »

Fiona fit la moue.

« Si l'expérience réussit…

— C'est ton travail de préparer D1 pour cela, je te rappelle, trancha Melel. Mais nous avons plus urgent. Damian Ranshin arrive cet après-midi, or je ne peux permettre qu'il coure le moindre risque. Nous espérions la voir réagir ainsi uniquement *après* l'injection… Qui a des suggestions ?

— Nous pouvons toujours la remettre sous camisole chimique, proposa Rios, sans réel enthousiasme toutefois.

—Non, répliqua immédiatement Fiona. Les tranquillisants qu'elle vient de se prendre seront plus que suffisants, sans faire planer la menace d'une nouvelle amnésie. Dites, peut-on renforcer l'effet de l'isoldämer ? »

Le colonel-arcane rit.

« Non… Je ne connais aucun rituel qui puisse influer sur un artefact de l'Empire éternel. C'est du vrai mille cinq cents ans d'âge, ne l'oubliez pas. »

Fiona hocha la tête.

« Elle est tout de même impressionnante…

— Les démons de l'Empire arrivaient bien à passer outre. Pourquoi pas une héritière des Dragons ?

— Lointaine descendante, tempéra Fiona. Vous avez vu les vidéos ; hier, dans sa chambre, elle en était incapable. La peur des droggies a dû l'aider. »

Melel faisait les cent pas.

« Boyd, il te faudra la gérer si elle refait des siennes. »

Celui-ci haussa les épaules, aucunement stressé.

« Pas de problème. Sur vos ordres, mes hommes lui ont laissé le temps de s'amuser, mais ils auraient pu l'arrêter bien avant. Ils vous protégeront donc si besoin est, car ma priorité cet après-midi sera la sécurité de notre invité. »

Melel, hésitant, finit par se décider.

« Soit. Que les gardes de cette furie soient très attentifs et interviennent au moindre geste suspect.

— Les matraques électriques seront largement suffisantes, assura Fiona.

— Je l'espère. Tu surveilleras ça avec eux. D1 est aussi dangereuse que précieuse, nous ne pouvons nous permettre aucune négligence. »

8

Claire se réveilla, à nouveau coincée sur son lit, quand une main étrangère chargée d'arcanie se posa sur son bras. Encore cette Fiona, assise à son côté.

« Votre petite magie semble efficace, murmura la jeune femme d'une voix pâteuse.

— J'espère bien, oui, répondit-elle avec un sourire. Le DirGen du département scientifique est attendu d'une minute à l'autre, et tu es le clou du spectacle. »

Revoir la responsable de ses tourments réveilla sa rage comme jamais.

D'un coup d'œil, Claire vérifia qu'aucun garde ou infirmier n'était présent. Rassurée, elle lâcha prise. Comme face aux droggies, elle laissa son instinct et sa colère, son héritage draconique, faire le boulot ; elle retrouva sans trop de difficultés les forces de destruction ayant permis l'érection du bâtiment, et puisa dedans pour désagréger les liens qui la maintenaient prisonnière. Elle éprouva encore cette sensation d'insectes ignobles qui…

Une claque, une simple baffe, brisa à nouveau sa concentration, stoppa le géoflux qui traversait son corps.

« Ne joue pas à cela maintenant, gamine. Garde tes forces pour tout à l'heure, quand le grand chef pourra te voir à l'œuvre. Et comprends bien que ta géomancie est bien trop lente pour concurrencer quoi que ce soit. »

Son rire résonna comme des éclats sonores tranchant l'air de sa cellule.

Claire l'ignora, satisfaite. Le cuir de la sangle qui maintenait son poignet droit était maintenant fragilisé, sec et craquelé de partout ; il ne résisterait pas longtemps. À vrai dire, les draps, au contact de sa main, ne valaient guère mieux. Sa liberté approchait à grands pas. Il suffisait juste que cette femme s'en aille.

La scientifique, cependant, était d'humeur loquace.

« Je dois t'expliquer quelques choses, fit-elle d'un ton badin. Tu sais, nous avons déjà mené beaucoup d'expériences. Or tu dois comprendre quelles ouvertures s'offrent dans ton avenir. »

Elle s'arrêta quelques instants, savourant sa pause dramatique avant de continuer.

« Vois-tu, l'ADN de dragon est déjà naturellement dominant voire invasif, pouvant potentiellement déformer tout être vivant qu'il contamine – un des pouvoirs de leur aura, comme on disait avant. Mais une fois réveillé et stimulé magiquement selon des méthodes brevetées par la RCE, il devient extrêmement actif, et va directement s'imposer dans le corps hôte. Chez les animaux, cela fonctionne généralement bien, et peut donner les droggies, par exemple. Pour les humains, c'est une autre histoire. La majorité des cobayes à qui nous en avons inoculé ont subi des mutations anarchiques et en sont morts. »

Claire n'écoutait déjà plus. La scientifique pérorait à propos d'un survivant, mais elle ne pouvait plus supporter ces horreurs assénées d'une manière si froide et clinique.

« Ils n'étaient pas des sujets d'expérience, explosa-t-elle de rage et de dégoût, mais des gens comme vous et moi, et vous avez détruit leurs vies ! Quels étaient leurs noms, leurs histoires ? Vous le savez, au moins ?

— Oh oui, rétorqua Fiona, mais ils ne sont pas aussi intéressants que toi, Claire Renard. Ou dois-je dire cobaye D1 ? »

— Dites-moi donc ce qu'est devenu Linel. Où est-il ? Vous m'aviez montré sa photo !

— Nous lui avons fait l'injection hier. Cela ne se passe pas très bien pour lui, malheureusement. Il agonise dans une des cellules à côté. »

Claire n'aurait su dire si elle avait imaginé la pointe de tristesse et de dégoût dans la voix de Fiona. À quoi jouait cette sadique ? Cabotiner comme une méchante d'opérette l'amusait donc tant ?

Visiblement oui, puisqu'elle repartit dans une tirade hallucinante. Ils attendaient qu'elle collabore et accepte l'injection d'un ADN étranger qui allait la tuer ? *Même pas besoin de réfléchir, c'est hors de question !*

Fiona se leva alors, appuyant sur deux boutons de sa montre.

« Ne fais pas cette erreur bête, dit-elle, de ton choix va dépendre ta survie. J'insiste : si tu luttes contre l'injection, tu mourras, comme les autres avant toi. Accueille ce dragon en toi, désire-le, car cela devrait t'être bénéfique vu ton ascendance. Travaille avec nous pour en maîtriser les effets, et nous pourrons te permettre de devenir plus qu'humaine. Maintenant, il est l'heure de monter sur scène et d'être à la hauteur !

— NON ! Allez mourir en enfer ! »

Elle sortit dans le couloir, hochant la tête de dépit. Un garde entra dans la cellule, suivi par un infirmier qui débloqua les roulettes du lit pour manœuvrer celui-ci. Il ne remarqua pas l'usure anormale de la sangle droite.

*C'est le moment ! Pardon Papa, pardon Maman, mais je n'en peux plus, je vais m'enfuir, et cela va être violent !*

Gardant les yeux mi-clos, Claire se concentra à nouveau pour capter les géoflux du bâtiment, maintenant qu'elle savait s'appuyer sur sa colère et sa rage, émotions finalement pas si négatives que cela. Elle ressentit la peur qui signait l'énergie de sa prison, quand un mouvement au coin de l'œil attira son attention. Le garde à l'arrière brandissait sa matraque parcourue d'arcs d'électriques.

L'électrochoc la plongea dans l'inconscience.

## 9

La salle d'observation était bondée quand Fiona entra, accompagnée des deux gardes.

« Il ne manquait que toi, ma chère subordonnée, l'accueillit Melel. Merci de nous avoir amené notre prometteuse cobaye ! »

L'équipe était effectivement au complet. En plus des deux gardes et elle-même, étaient présents Melel, Rios, Boyd, plus deux techniciens, et le grand chef, Damian Ranshin lui-même.

Déjà pas très grand de nature, celui-ci s'était voûté et empâté depuis la dernière fois qu'elle l'avait vu.

« Madame Bansif, cela faisait longtemps, fit-il de sa voix chantante, chaude comme celle des natifs de la côte est. Vous vous êtes bien occupée de notre sujet, m'a-t-on dit ?

— Oui, autant que possible, monsieur le DirGen. Elle est rétive, mais si l'injection prend bien, les conséquences sur sa pratique de la géomancie seront passionnantes à étudier. »

*Pour sûr, il va y avoir du sport.*

De l'autre côté de la grande baie vitrée se trouvait le bloc opératoire – une grande pièce blanche dont le principal élément était un énorme automate médical. Cette unité robotisée, pilotée par les techniciens de l'équipe, était capable de faire de nombreuses analyses et opérations ; actuellement, la seringue installée au bout d'un bras articulé, chargée d'un liquide aux changeantes couleurs oscillant entre un jaune étrange et un vert opaline, ne pouvait qu'attirer les regards.

Le lit où Claire était sanglée avait été posé au milieu, roues bloquées. Fiona vit que celle-ci avait repris connaissance ; Ranshin lui-même la regardait avec intérêt, les yeux brillants.

« D'après son dossier, elle serait donc la fille de cet espion darromaran…

— Ythèr Viénor, oui. Nous lui devons nos premiers échantillons d'ADN, confirma Melel. Les équipes du Maintien de l'Ordre l'ont cru mort pendant longtemps, alors qu'il se cachait sous le nom de Lilian Renard.

— Et c'est également lui qui…, commença Rios avant que l'un des gardes ne le coupe.

— Nous avons un problème. Je sens les géoflux bouger. Elle les utilise à nouveau !

## 10

Son évanouissement s'était achevé au moment même où le chuintement des portes qui se fermaient accompagnait le départ du dernier laborantin.

Jetant un rapide coup d'œil, Claire vit les caméras à tous les angles de la pièce, les spectateurs – dont Fiona, forcément – derrière la grande baie vitrée, et l'énorme appareillage de plastique et métal qui s'approchait, menaçant.

Elle n'avait pas le temps de paniquer. C'était *le* moment. Ils voulaient du spectacle ? Ils allaient en avoir !

Claire cria, laissant exploser sa colère. Elle se focalisa sur son corps, sentit son cœur battre comme jamais, au point de résonner dans toute la pièce ; il semblait faire écho aux fluctuations d'opaline dans la seringue.

Ce truc la répugnait autant qu'il l'attirait.

Elle puisa encore plus profondément en elle même, renouant le contact avec les géoflux de cet antre d'inhumanité. Elle sentait la froideur des machines, contrastant avec sa rage brûlante. Abandonnant tout contrôle, elle hurla l'horrible tension que son corps subissait, alors qu'elle canalisait sans retenue la destruction pure. Au contact de ses mains, les sangles, les draps, le matelas se désagrégèrent. Enfin libérée de ses entraves, elle s'effondra dans la poussière et les ruines de son lit.

La surprise de sa chute sortit Claire de sa transe, pantelante, juste à temps pour entendre un sifflement de moteur et voir la seringue descendre sur elle à grande vitesse. Elle roula sur le sol, s'abritant derrière le cadre du lit, évitant ainsi la piqûre.

Elle commença à reculer quand l'appareil avança brutalement, repoussant les restes du sommier, pivotant partiellement pour mieux faire l'injection. Claire bloqua le coup de justesse, levant de la main droite le bras du robot.

Elle n'eut pas le temps de canaliser un quelconque géoflux, ni même d'esquiver à nouveau, que l'aiguille montée sur rotule basculait.

La pointe effilée pénétra dans ses muscles, qu'elle contracta dans un hurlement. Retirant son bras avec une force qu'elle ne se connaissait pas, Claire sentit néanmoins quelques gouttes du sérum draconique s'insinuer dans son corps ; le reste fut violemment expulsé en une giclée de liquide aux teintes fluctuantes.

Le dragon en elle ne voulait pas de l'*autre* dragon, celui de la seringue.

Un feu d'une intensité surnaturelle se propagea dans tout son corps, en un électrochoc tant mental que physique. Ses muscles contractés irradiaient de douleur, ses nerfs la surchargeaient d'information. Des milliers d'idées, de pensées, défilèrent dans sa tête en un kaléidoscope aberrant.

Elle cria toute sa terreur, toute sa souffrance, à s'en arracher la gorge. Ils allaient payer, elle allait se venger, venger ses parents, son frère ! Elle s'imaginait déjà, devenue demi-dragon, dévaster cet antre du mal.

Une vague d'énergie particulièrement étrange la traversa alors, un chatouillement bizarre et absolument unique qu'elle n'avait jamais ressenti auparavant, pas malsain pour un sou. Au même instant, la machine s'arrêta, toutes les lumières explosèrent ou s'éteignirent.

11

Dans la salle d'observation plongée dans l'obscurité, la surprise le disputait à l'inquiétude. Aucune lumière de secours ne s'était allumée, aucun téléphone ne fonctionnait, personne n'y voyait rien. Sauf Fiona, qui avait sorti de sa poche une paire de lunettes à infrarouges.

Tout le monde avait été fasciné par Claire et son court duel avec le techie qui pilotait le robot. La diversion rêvée, en somme. Pour la suite, elle avait tout planifié. Sa bombe à impulsion électro-magnétique avait fonctionné à merveille, mettant la Base Héra à genoux. Les données des expériences étaient déjà sauvées, copiées mille fois sur le réseau interne de la RCE, les serveurs ici même protégés contre ce genre d'attaques. Mais ils étaient bien les seuls dans le bâtiment ; ordinateurs, drones, caméras, téléphones, toute l'électronique était foutue. Le réseau électrique n'était pas en meilleur état ; aucun fusible n'avait survécu à la surtension, condamnant l'ensemble du complexe aux ténèbres. Le générateur de secours lui-même n'avait que peu de chance d'avoir résisté.

*Parfait.*

Ne lui restait plus qu'à cueillir sa proie, figée par la surprise elle aussi.

Transporter une arme sur elle pendant la journée aurait été trop risqué. User d'une arcanie de combat n'aurait pas été le plus judicieux, avec Boyd juste à côté. Heureusement, son peuple adoptif maîtrisait comme personne une arcanotech dont la clientèle ciblée l'avait rendu extrêmement riche.

D'un geste, Fiona ouvrit son petit portail personnel, distorsion lumineuse dans l'obscurité. Sourire satisfait sur les lèvres, elle sortit ainsi de son espace de stockage extra-dimensionnel rien moins qu'un R-Fam-13, fleuron des fusils d'assaut de production RCE. Ce n'était pas l'arme la plus maniable dans une petite salle, mais elle était sûre que ses tirs porteraient, obstacles ou pas.

Tout cela s'était passé tellement rapidement que personne n'avait eu le temps de réagir.

Personne, sauf le colonel-arcane Boyd.

Le sourire de Fiona s'évanouit.

Il lui tournait le dos, comme Ranshin qu'il couvrait en partie. Or ce monstre devait mourir.

Fiona les aligna et pressa sur la détente, alors même que Boyd incantait, usant de mots de pouvoir que Fiona reconnaissait. Heureusement, la cadence de tir de son arme devrait suffire.

Ce fut une explosion de lumière dans le local, entre les flammes du fusil et les étincelles nées du choc des balles sur un bouclier arcane, qui entourait Ranshin et le mage.

Fiona grimaça. Boyd le prudent avait dû le préparer avant qu'elle n'arrive ! Au bruit, toutefois, elle eu la certitude que certaines balles avaient pénétré la protection et touché leurs cibles malgré tout.

Puis colonel-arcane et DirGen disparurent dans un flash de lumière, téléportés elle ne savait où.

Elle jura plusieurs fois, mais ne perdit aucun temps pour aligner le garde derrière elle, qui venait de dégainer son arme.

## 12

Toutes ses veines, tous ses nerfs la brûlaient, douloureux comme jamais. Une énergie absolument énorme débordait en elle, la consumant et la régénérant en même temps, dans une souffrance qui porta sa rage vers de nouveaux sommets.

De l'autre côté de la vitre, plusieurs rafales de tirs déchirèrent le silence et l'obscurité.

Trop obnubilée par sa colère pour réfléchir, Claire agit à l'instinct, et retrouva facilement les géoflux du bâtiment, toute distance oubliée. Les ténèbres ne l'inquiétaient même pas, alors elle s'approcha de la verrière et, d'un coup de poing chargé d'énergie, la fracassa.

Une voix féminine qu'elle connaissait cracha un mot de pouvoir. Une chaude lumière apparut autour de la main gauche de Fiona, éclairant une scène de corps déchiquetés, un carnage puant la poudre et le sang encore chaud. Le fusil dans les mains de la scientifique, les taches rouge vif sur sa blouse blanche, ne laissaient aucun doute sur sa responsabilité dans le panorama d'horreur.

Claire marqua un temps d'arrêt.

« Toi…, fit la jeune femme d'une voix rauque.

— Oui, moi. Il n'y a plus de témoins. Tu es libre. »

*Merci d'avoir fait le ménage. Maintenant, à ton tour de payer !*

Claire bondit sur la scientifique, qui recula, surprise. Mais elle fut plus rapide, et la frappa violemment d'un bon coup de poing dans le ventre.

*Prends ça !* jubila-t-elle alors que Fiona pliait sous l'impact.

De sa main gauche, Claire saisit alors le fusil de son ennemie, et laissa à nouveau la destruction circuler librement en elle. L'arme se disloqua littéralement sous ses doigts.

Elle ricana sauvagement, heureuse.

## 13

En deux coups, la jeune furie venait presque la mettre hors de combat.

Fiona était autant impressionnée qu'inquiète. Rien de ce qu'elle voyait chez Claire n'avait été observé sur les sujets précédents. Elle était entourée d'une sorte d'aura vibrante, à fleur de peau, apparaissant parfois comme des écailles. Son poing droit ressemblait, lui, à une patte griffue. Tout ceci ne semblait pas gêner la jeune femme, ni réellement affecter son corps ; sa main gauche, noircie par endroits et à l'aspect particulièrement peu engageant, étant la seule exception.

Claire l'attaqua à nouveau. Un direct en plein visage manqua de lui fracasser la mâchoire.

Si ces pouvoirs étranges lui venaient de l'injection, elle semblait vraiment bien accepter celle-ci et en user sans retenue… Ce qui était un sacré danger.

*Aurais-je joué avec le feu ?*

Heureusement que Claire ne semblait pas habituée à se battre. Fiona esquiva les attaques suivantes – et particulièrement cette main gauche de mauvais augure – en glissant sous une table, puis elle contre-attaqua avec une arcanie qu'elle maîtrisait bien, et que la jeune femme avait déjà subie.

Sortant de sa cachette et se redressant rapidement, Fiona posa la paume de sa main sur le bras de Claire. Un violent choc électrique parcourut le corps de cette dernière.

*La peau de la mioche est terriblement chaude… Elle ne va pas tenir longtemps avec une telle fièvre !*

Celle-ci recula, sonnée, ce qui permit à Fiona de se dégager d'un bond sur le côté. Elle trébucha sur un cadavre quelconque, mais se rattrapa de justesse à une table. Puis, dans la foulée, elle rouvrit son portail et en sortit un PM ainsi que quelques chargeurs.

Déjà, la gamine semblait reprendre ses esprits. Fiona tira une rafale à ses pieds.

« On se calme ! », ordonna-t-elle.

Claire ne répondit pas, mais ses yeux emplis de rage prouvaient qu'elle n'avait pas changé d'objectif.

Des bruits de course qui se rapprochaient dans le couloir voisin attirèrent alors l'attention des deux femmes. La porte de la salle fut ouverte par un groupe de gardes, armes et lampes-torches au poing.

« Madame Bansif ! », cria l'un d'entre eux.

*Parfait*, pensa Fiona. *Ils vont s'en prendre à Claire.*

## 14

Ils brandirent leurs armes – des pistolets-mitrailleurs, eux aussi – alors que Claire plongeait à l'abri d'une table, les mains cherchant le contact du mur juste derrière.

Elle n'avait jamais ressenti autant de puissance la parcourir. Elle pouvait sans difficulté tout effondrer sur les larbins de la RCE. C'était comme lorsqu'elle s'était retrouvée face aux droggies, mais tout lui était infiniment plus facile, maintenant.

Alors même que les murs tremblaient sous l'énergie du géoflux qu'elle canalisait déjà, Fiona tira une pluie de balles sur les gardes.

Claire en resta interdite. Il lui fallut quelques instants pour comprendre ce qu'elle voyait, tellement cela lui paraissait improbable.

Ils n'étaient pas encore tous morts quand toute une partie du plafond et de l'étage au-dessus s'écrasèrent dans le couloir, ensevelissant morts et vivants.

Il y eut un court moment de battement, dont la scientifique profita immédiatement.

« Claire, je ne suis pas ton adversaire, notre ennemi est la RCE ! Il faut libérer les autres cobayes et détruire ce bâtiment, pendant que je m'occupe du reste ! »

L'énormité de tout ceci stoppa Claire. *Que ? Quoi ? Nous, alliées ?*

Puis elle réalisa. Quand bien même ces bâtards de la Raclaw l'avaient bien cherché, quand bien même elle aurait voulu faire la même chose… Voir leurs corps sans vie, leur sang répandu partout, tables et ordinateurs renversés… Elle n'osa pas regarder vers le nuage de poussière et le tas de déblais dans le couloir, encore moins penser aux corps dessous.

C'était comme à Jiford, en pire. Elle y avait pris du plaisir. Qu'elle ne pouvait définir comme injustifié.

Cette douche froide lui fit perdre les géoflux.

Vidée et fébrile, elle s'appuya sur une table. Plus rien ne la soutenait, maintenant. Elle se sentait terriblement mal. Tout son corps se battait contre le dragon étranger. L'énergie destructrice dont elle s'était servie l'avait corrompue de l'intérieur. Son bras, sa main gauche, étaient parsemés de traînées noires et purulentes.

L'horreur de ce qu'elle avait accompli, l'horreur des sensations qui l'avaient parcourue, qu'elle pouvait encore sentir – tout particulièrement ces immondes cafards sous sa peau – la submergèrent pour de bon. Elle vomit, encore et encore, évacuant toute sa bile, toute sa terreur, tout son dégoût.

Elle se sentait souillée. Elle repensa aux avertissements de son père, qui l'avait bien prévenue que la géomancie des éléments artificiels était difficile. Sans maîtrise, elle changeait ses utilisateurs pour le pire. Il était peut-être un peu tard pour s'en soucier…

Et puis, il y avait cet intrus. L'autre dragon.

*Je ne peux plus perdre contrôle, sinon il va me bouffer.*

\*

Il lui fallut rester prostrée pendant quelque temps, totalement inconsciente du monde autour d'elle, à trembler de manière incontrôlée, avant de pouvoir calmer son corps, se reprendre, et se redresser doucement. Malgré la fièvre et les vertiges, malgré ce terrible combat dont elle était le siège et l'enjeu. Son dos, ses épaules, ses reins, la démangeaient de manière insupportable, mais elle n'osa pas les toucher, de peur d'y trouver de nouvelles écailles, ou peut-être pire encore.

Claire se tourna alors vers un pistolet enchanté d'une aura lumineuse, posé sur une table à côté d'elle.

Était-ce un cadeau de Fiona ? Elle ne put lui demander, celle-ci semblant partie depuis longtemps.

Sa colère l'avait peut-être aveuglée. Peut-être que cette femme était réellement de son côté. Peut-être avait-elle tout prévu, manipulé les événements, l'avait manipulée *elle*, pour qu'elle se lâche en présence de son grand patron ? Parce que ce serait le meilleur moment pour semer le chaos, sauver les autres victimes, et fuir ?

Il y avait plus urgent que ces questions, toutefois.

\*

Claire s'était résolue à prendre le pistolet, ne serait-ce que pour la lumière qu'il procurait, espérant très fort ne pas avoir à s'en servir.

Restait à trouver les autres prisonniers. Linel était censé être dans une cellule près de la sienne, si Fiona n'avait pas menti. C'était sa seule piste, alors elle commença par là.

Le couloir était plongé dans des ténèbres à peine repoussées par l'aura de lumière de son arme ou, au loin tout au bout, par une fenêtre ouverte dans une salle quelconque. Des bruits de course, des cris, résonnaient irrégulièrement. C'était le chaos, la panique.

Toutes les portes des cellules étaient déjà ouvertes. *Vive les serrures magnétiques !*

Elle en visita ainsi une dizaine. Dans la première, elle trouva quelqu'un.

C'était un homme, auparavant, mais il avait muté au-delà de toute description. Couvert d'écailles des pieds à la tête, les membres déformés, la tête devenue partiellement reptilienne, il la regarda fixement s'approcher.

Une empathie étrange, probablement due à l'ADN intrus qu'ils partageaient, s'installa entre eux. Peu rassurée, Claire ne sentait néanmoins aucune hostilité de sa part.

« Je suis venue vous libérer, fit-elle doucement.

— Je suis B13, articula-t-il d'une vois faible, rauque et sifflante.

— Vous… vous deviez avoir un nom, avant. »

Il hésita.

« Je sais pas. »

Prudemment, Claire défit une première sangle, puis une autre. Il ne bougea pas, la laissa faire.

La jeune femme se recula après avoir fini.

« Où sont les… (Il hésita, cherchant ses mots) où sont les vestes blanches ?

— Les chefs sont morts, répondit Claire.

— Ce n'est… pas possible. »

Il se leva alors en silence, grimaçant de douleur. Il bougeait avec difficulté, mais sortit de la chambre sans un mot de plus.

« Vous ne voulez pas venir avec moi ? demanda Claire. Vous avez besoin d'aide ! »

Grognant un « Non, merci » pour toute réponse, il s'enfonça dans les ténèbres.

Ensuite, elle ne trouva que quatre autres personnes. Deux hommes, une femme, tous les trois complètement abrutis de calmants. Le dernier n'était autre que Linel.

L'odeur de sa chambre était particulièrement atroce. Il n'avait subi l'injection qu'hier, et voilà ce qu'il était devenu… Encore humain, certes, mais il se mourait, le corps déformé, partiellement couvert d'écailles ensanglantées. Claire trembla en le voyant dans cet état. Ce qu'elle subissait n'était rien comparé à la torture qu'il endurait.

Après l'avoir détaché, elle le réveilla doucement. Mais quand Linel ouvrit enfin les yeux, il fut pris de panique, et tenta immédiatement de l'attraper, de l'étrangler. Surprise, elle lâcha son pistolet.

Elle n'aurait pas eu le réflexe de l'utiliser, pas comme la géomancie. Nourrie par sa peur, sa rage – tempérée mais pas éteinte – ressurgit ; elle chercha les géoflux, s'apprêta à répliquer, quand une vague d'énergie absolument fabuleuse manqua de l'emporter.

## 15

Un kaléidoscope immense de sensations la parcourut. Elle devinait les arbres, les plantes *à l'extérieur*, baignant dans une aura d'énergie d'un vert reposant. Elle frissonna de la terreur imprégnée dans l'enceinte du bâtiment, comme une vermine qui corrompait tout. Elle percevait une fascinante quantité de détails en se concentrant à peine, pouvant même repérer les revêtements plastiques à leurs propriétés isolantes. Tous les géoflux étaient là, l'entourant, à nouveau accessibles. Elle baignait littéralement dedans. Enfin !

C'était tellement fort qu'elle crut exploser. La tête lui tourna, c'était trop d'un coup. Mais elle était heureuse, tellement heureuse !

Elle soupira profondément, exultante, euphorique, emplie de force, enfin à nouveau vraiment vivante et régénérée, requinquée malgré sa fièvre – sa main gauche même semblait aller mieux, une partie des plaies noirâtres ayant disparu.

Elle se libéra de l'étreinte, en réalité si faible, de Linel, éprouvant un dégoût insondable pour sa première réaction. À quoi rimait cette violence ? Elle devait en finir avec ça.

Elle ramassa son pistolet, éclaira le pauvre homme, qui gémit. Il ne pourrait se déplacer seul.

Posant la main sur un mur, elle pouvait lire le bâtiment bien plus nettement. En se concentrant, elle ressentait presque où se trouvait la moindre canalisation, ce qui lui permit de localiser un tuyau d'alimentation d'eau passant dans le faux plafond du couloir.

D'un coup ciblé, elle le détruisit, puis amena les trois prisonniers sous cette douche improvisée. L'eau froide les réveillait déjà quelque peu, alors qu'elle usait sur chacun d'entre eux de son petit rituel de purification. Ils tremblaient dans leurs simples pyjamas d'hôpital, mais mieux valait qu'ils attrapent froid plutôt qu'ils soient incapables de la suivre à cause des traitements qu'ils avaient subis !

Elle-même était absolument frigorifiée, et sa fièvre n'attendait qu'un seul moment de faiblesse pour la terrasser. Réfléchissant à utiliser son rituel pour se débarrasser de l'intrus en elle, elle réalisa bien vite que cela ne marcherait pas. Elle s'était déjà trop servie de la force qu'il lui avait procurée. Il faisait partie d'elle pour de bon. Comme sa toute nouvelle hypersensibilité, probablement.

Des claquements sonores, derrière elle, attirèrent son attention. Au bout du couloir, une petite escouade de vigiles venait d'apparaître, les faisceaux lumineux de leurs lampes balayant dans sa direction.

Claire se décala contre le mur le plus proche et, avec une facilité qui l'émerveilla, fit appel aux faiblesses du béton, qu'elle sentait dans sa peau, dans sa chair même.

Le mur trembla puis soupira. Très vite, alors que l'un des gardes criait des ordres et que tous pointaient leurs armes vers eux, toute une partie du couloir entre les deux groupes s'effondra dans un immense fracas.

Non, autant que possible, elle ne tuerait plus.

« Où… Où suis-je ? demanda une voix faible.

— Bientôt libérée de ce laboratoire de fous », répondit Claire à la prisonnière, qui reprenait doucement conscience de son environnement.

Elle refit une passe de son rituel sur eux trois, puis leur demanda de porter Linel. Malgré l'hébétude, malgré le dégoût, les deux hommes acceptèrent, chacun passant un bras du pauvre communard par-dessus ses épaules.

Ne manquait qu'une seule chose.

« Comment vous appelez-vous ? »

Ce n'étaient plus des cobayes numérotés, mais Piedro, Josep, et Marta qui se joignirent à elle.

Claire les entraîna tout d'abord au deuxième étage. Une courte recherche pour sentir un quelconque flux vital proche du sien l'avait aisément guidée vers cette pièce réfrigérée, où se terraient plusieurs laborantins. Les évadés

116

délestèrent ceux-ci de leurs vêtements, savourant le plaisir de porter à nouveau des habits chauds et secs, puis Claire leur ordonna de s'enfuir.

Elle prit ensuite le temps de détruire tous ses ovocytes, son sang, deux écailles prélevées dans son dos, et d'autres tissus encore. Elle fit de même avec ceux des différentes victimes, puis termina par une collection d'éprouvettes, dont elle n'eut pas de besoin de lire l'étiquette pour comprendre qu'il s'agissait des autres échantillons de l'ADN du dragon qu'elle portait en elle.

Son corps fut à nouveau saisi de tremblements irrépressibles quand elle les détruisit à leur tour.

« Paix... », murmura-t-elle en s'effondrant au sol sous l'œil inquiet de ses compagnons de fuite.

*

Elle eut bien besoin de quelques minutes pour reprendre son souffle, après quoi ils repartirent tous les cinq, Piedro portant Linel sur son dos.

Ils arrivèrent dans un rez-de-chaussée silencieux, qui semblait totalement désert. Un plan d'évacuation accroché au mur leur permit de se situer et de se diriger vers une proche sortie latérale. Elle était là, à droite, tout au bout du couloir.

Le moral de tout le monde atteint des sommets quand ils passèrent le virage et virent la lumière d'une porte ouverte au bout... La liberté était enfin à portée de main !

Quelques pas plus tard, plus prudents que tous les autres – tous craignaient la même mauvaise surprise d'une embuscade de dernière minute – ils se retrouvèrent dehors. Sous le ciel gris d'une journée de printemps, ils respiraient enfin l'air frais de l'extérieur !

Ils n'étaient pas sortis d'affaire, toutefois, puisqu'ils devaient encore passer l'enceinte extérieure. Marta alla prudemment au coin du bâtiment, jeta un coup d'œil, puis revint, l'air sombre.

« Il y a du monde à l'entrée du complexe. Les équipes d'ici avec leurs droggies, bien sûr, mais surtout un escadron entier de GEMs. »

117

À cette mauvaise nouvelle s'ajouta l'inimitable bruit d'un hélicoptère qui s'approchait.

Claire soupira de lassitude. Elle ne voulait plus tuer personne. Elle était trop épuisée – tout comme ses compagnons de fuite – pour se battre à nouveau. Elle avait pourtant une dernière tâche à accomplir. Rien ne l'y obligeait, mais il fallait le faire.

« Je vais détruire le bâtiment. Cela fera une belle diversion pendant que vous passerez le grillage.

— Tu es sûre de toi ? demanda Josep. Tu es à bout.

— Je sais, soupira-t-elle, mais je veux débarrasser le monde de cet antre de cauchemars. »

Elle était plus calme que tout à l'heure dans le laboratoire, ne savait pas encore comment elle s'y prendrait, mais c'était cela ou elle partait affronter les GEMs. L'idée même la dégoûtait, mais elle gardait suffisamment de colère envers ceux qui avaient tué ses parents. Elle n'aurait pas besoin d'insister beaucoup pour lâcher prise et en massacrer quelques-uns.

« C'est du suicide. Ne fais pas ça et sauve-toi avec nous, s'il te plaît », lui demanda Marta.

Claire hésita. Non, elle ne voulait pas mourir, mais elle s'assurait ainsi que ses trois compagnons pourraient s'enfuir avec Linel.

« Tu n'as pas une meilleure idée ? », insista Josep.

*Autre chose qu'une belle destruction, qui fera probablement moins de victimes qu'une bataille rangée ?*

« Non. Allez, cachez-vous, j'y retourne, dit-elle d'une voix faible. Et faites attention aux droggies.

— Nous venons avec toi, répliqua aussitôt Josep. Tu auras besoin d'aide pour repartir. »

Elle le regarda, hésitante.

« Merci », finit-elle par dire, reconnaissante.

Ils s'installèrent dans l'entrebâillement de la porte, autant que possible à l'abri des regards, Claire assise en tailleur à même le sol, mains posées bien à plat sur le carrelage frais.

Elle prit le temps de bien ressentir et explorer le géoflux du bâtiment, fascinée par sa facilité à percevoir finement les forces et faiblesses de la structure. Elle ne savait malheureusement pas comment frapper précisément, à distance, sur des cibles éloignées comme l'étaient les piliers de soutènement. Mais il existait d'autres méthodes.

Une fébrilité intense la gagna. La colère de son ancêtre draconique la titillait. Le nouveau dragon injecté en elle voulait tout déborder. Sa rage n'attendait qu'une occasion pour la dévorer à nouveau. Tous demandaient qu'elle se lâche encore, enfin, qu'elle détruise tout avec flamboyance, comme là-haut dans le laboratoire.

Claire refusa. Elle savait qu'elle devait accepter toute cette colère, cette rage, qui étaient les siennes, mais elle ne voulait plus les laisser la dominer.

La fièvre troublait sa vue. Ses tremblements s'intensifièrent. Mais cela n'avait aucune importance. Claire se concentra, imaginant une vague d'énergie comme celle qui l'avait engloutie plus tôt.

« Soyez prêts ! », murmura-t-elle à l'attention de ses compères.

Elle n'entendit pas leurs réponses, canalisant toutes ces forces qui la consumaient, et les lâcha en une violente impulsion sismique.

Depuis ses mains partit une vague en arc de cercle, dirigée vers l'intérieur du bâtiment. Le carrelage explosait sur son passage.

Claire sourit et s'évanouit immédiatement après, complètement vidée.

16

Quelques heures plus tard, Claire se tenait sur une colline boisée toute proche de Carfères. Une trouée dans les arbres permettait de voir au loin la petite colonne de fumée signalant l'emplacement de la Base Héra, dont le complexe scientifique n'était plus que ruines.

Claire avait mal partout, mais sa fièvre s'était envolée, brûlée dans sa dernière géomancie.

Elle n'était pas seule. Piedro et Marta l'avaient accompagnée, lui avaient raconté comment ils avaient esquivé les droggies et fui avec Josep, qui l'avait transportée le temps qu'elle reprenne conscience. L'effondrement progressif du bâtiment avait largement fait diversion, d'autant que les GEMs et leur hélicoptère semblaient eux-mêmes aux prises avec un adversaire vindicatif.

Linel, malheureusement, était mort pendant l'évasion. La jeune femme ne savait pas à quel moment ; elle espérait simplement qu'il avait pu respirer l'air extérieur, profiter de voir le ciel, une dernière fois.

« Je… Je vais l'enterrer ici.

— Nous t'aiderons. »

Ils n'en eurent pas besoin. Claire fut heureuse, pour la première fois depuis longtemps, de parler simplement à la Terre, aux plantes, aux arbres. Elle laissa aux racines le temps de s'écarter à leur rythme, à la terre de s'ouvrir tranquillement, sous les yeux ébahis de ses compagnons de fuite. En résulta une belle fosse, profonde et presque accueillante, dans laquelle ils déposèrent cérémonieusement le corps de Linel.

Ils firent une courte prière, en silence, moment gênant pour eux nés dans un pays où croyances et religions étaient considérées comme des reliques d'un passé désuet.

Puis Claire demanda à la Terre de le recouvrir, de l'engloutir et de l'accueillir en son sein, qu'il revienne à la nature. Comme dans un écho à ses actions de Jiford, elle lui offrait ainsi une sépulture décente.

Passé un autre silence, ils se regardèrent. Ils n'avaient pas fière allure, dans leurs vêtements volés et pas à leur taille, mais ils étaient libres.

« Qu'allez-vous faire maintenant ?

— Quitter le Drannyr ! Il se dit qu'en Llyaran, tout le monde est libre de faire ce qu'il lui plaît… Tu veux venir avec nous ? »

17

Le lendemain, elle était chez Korgull. C'était peut-être un choix risqué, mais Claire avait confiance en son intuition. Elles ne s'y étaient pas donné rendez-vous, mais la jeune femme s'installa exactement à la même place, sûre d'y revoir Fiona.

Elle n'avait pas bu la moitié de son soda que celle-ci entra, vêtue d'habits tribaux tout comme la première fois. Après avoir commandé deux bières, elle se dirigea immédiatement vers sa table.

« Tu as l'air épuisée, fit la scientifique d'une voix plus douce que tout ce que Claire avait pu entendre d'elle jusque là.

— On le serait à moins », répondit-elle simplement, mais non sans acidité.

Pour sûr, ses cernes semblaient être des puits sans fond, la fièvre était en partie revenue, et tous ses muscles étaient douloureux des épreuves de la veille. Sa main gauche, bandée, suppurait encore de quelques plaies, qui s'étaient heureusement bien résorbées.

Fiona posa les verres sur la table, puis s'assit, poussant l'un d'eux vers Claire.

« Tu veux autre chose ? »

Les réponses potentielles étaient légion.

« Des explications. Des excuses. Le passage hors du Drannyr. Et un bon steak-frites, aussi. »

Fiona sourit, héla le tenancier, et en commanda deux.

« Pour le reste… Mes amis seront là dans quelques heures, et t'emmèneront où tu le désires.

— Une Commune libre en Darromar me suffira. »

Fiona resta ensuite silencieuse, le regard longtemps perdu dans le vague. Claire ne dit rien non plus, se contentant d'attendre, coudes sur la table, menton posé sur les mains, dans un silence et une immobilité seulement troublés par les quelques gorgées de bière que but Fiona.

« Que veux-tu savoir ? », finit-elle par demander.

*Tant de choses…*

« Que s'est-il passé avec les géoflux ?

— Nous avions un vieil artefact qui, théoriquement, isolait le bâtiment de toute géomancie possible. Je l'ai détruit après que nous nous soyons séparées. Cet isoldämer, qu'il fallait réactiver régulièrement avec du sang, était un crâne démoniaque – je te jure, il en avait les dents saillantes et démesurées, les cornes aux pointes acérées, et la teinte rougeâtre. Le genre de saleté typique de l'Empire éternel. »

Claire opina, puis attendit en silence que Fiona reprenne la parole.

Quelques minutes plus tard, celle-ci n'avait rien dit de plus. Le patron leur apporta alors deux assiettes débordant de feuilles de salade et de frites.

Fiona en saisit une, et la fit brutalement flamber entre ses doigts.

« Effectivement, je te dois des excuses. Dès que les flics sont entrés ici, toutes mes ébauches de plans sont parties à vau-l'eau. S'ils t'attrapaient, tu étais foutue ; le seul moyen était donc de te "récupérer" pour la Base Héra, d'autant que je devais à tout prix protéger ma couverture. Ensuite… J'étais sous surveillance constante, comme toi, comme tout le monde. Il me fallait jouer serré et donner le change.

— Je l'ai compris, après notre combat. »

Fiona préféra ne pas s'appesantir sur ce sujet, et continua :

« Je n'ai donc rien fait, et d'ailleurs rien pu faire, qui ne nous aurait pas grillées toutes les deux. Je suis sincèrement désolée. Je n'aurais pas cru que cela puisse aller aussi loin, toutefois. »

Claire resta silencieuse un instant.

« J'y survivrai », affirma-t-elle.

Elle n'avait aucun doute là-dessus. Elle passa la main sous son T-shirt, grattant doucement son dos, là où se trouvaient ses écailles. Celles-ci avaient changé ; plus dures, plus grandes aussi, elles se teintaient maintenant d'un léger vert d'eau.

« Il m'a fallu attendre deux jours, mais dès que j'ai pu, reprit Fiona, j'ai utilisé mon arcanie – celle que tu ressentais à chaque fois – pour te débarrasser des drogues que l'on t'injectait. Dans les bureaux, j'ai tout fait pour précipiter la venue du grand chef…

— Mais au final tu t'es servie de moi pour l'abattre, non ?

— Tuer Ranshin a toujours été mon objectif, effectivement.

— As-tu réussi ?

— Non, grimaça Fiona.

— Pourquoi y tenais-tu autant ?

— Certaines choses ne te regardent pas. Mais le monde se porterait mieux sans lui, et tu le sais. »

Claire n'allait pas le nier.

« Tu es néanmoins une ordure. »

Fiona eut l'air réellement blessée.

« Tu n'es pas une blanche colombe, toi non plus, rétorqua-t-elle.

— Combien de gens as-tu laissés être torturés et mourir d'une manière absolument atroce ? asséna la jeune femme. Tout cela en attendant l'opportunité idéale de tuer ce monstre de DirGen ?

— On ne fait pas d'omelette sans casser des œufs.

— Sauf quand les œufs en question sont les vies de gens innocents ! »

Fiona sourit tristement un court instant.

« Peut-être. Mais dis-toi que tout le monde, à son échelle, est complice de la RCE. Dans ce pays, l'innocence n'existe pas. »

Claire soupira et ferma les yeux, avant de regarder fixement la scientifique.

« C'est peut-être vrai, mais tu es bien plus coupable que la moyenne, non ? Alors, si tu veux vraiment combattre la RCE, mets ton cynisme au placard, et sois plus indulgente à l'avenir. »

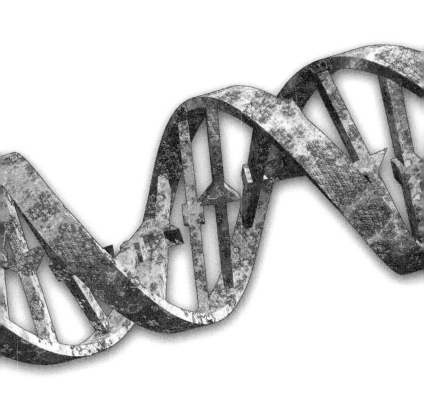

# EPILOGUE

Spalan, capitale du Drannyr, 11 Agrial 1145

Depuis son bureau, le vice-président Reno Deltray regardait la ville qui s'étendait loin en contrebas. Avec lui, Damian Ranshin, convoqué pour l'occasion.

Un bras bandé, béquille posée contre le fauteuil dans lequel il s'était installé, celui-ci n'était pas stressé, malgré la moue de mécontentement qu'affichait Reno.

« Nous devons parler du Projet Dragon, et tout particulièrement du fiasco de la semaine dernière. »

Ranshin haussa les épaules.

« Fiasco, fiasco… Tout cela parce que la cobaye D1 s'est enfuie en détruisant tout sur son passage…

— Précisément. Tu as été blessé, Tomus Boyd est encore en soins intensifs, quant au reste de ton équipe… Nous avons perdu ton subordonné.

— Melel, oui, nota le DirGen. Un type intelligent. Sa capacité d'analyse va me manquer.

— Et tu es incapable de me dire si Fiona Bansif – la seule a avoir survécu – a joué un rôle là dedans.

— Je l'ai déjà expliqué plusieurs fois : je n'ai rien vu, et je ne me rappelle plus qui était derrière moi. »

Le vice-président soupira et resta silencieux quelques instants.

— Le décompte total est tout de même de trente-deux morts.

— Et ? Les équipes se remplacent, les bâtiments se reconstruisent, et tu le sais mieux que quiconque, Reno ! Les données que nous avons obtenues valent bien plus que ce genre de détails ! »

Deltray haussa le ton, exaspéré.

« Détails ? Dire que l'on m'accuse, *moi*, d'être un cynique sans cœur ! »

Damian balaya cette remarque d'un revers de main.

« Attends que je finisse de rédiger les rapports de recherche avec les dernières données en date, et tu verras. Le jeu en vaut la chandelle !

— Sais-tu comment le président a réagi face aux photos des premiers cobayes ?

— Assez mal, j'imagine ; les mutations draconiques sont effectivement repoussantes. Mais ce n'est rien, nous progressons sur les dosages. Les sujets survivants feront des soldats comme prévu, et les prochains tests auront de bien meilleurs résultats, c'est une évidence. »

Reno rit franchement, cette fois-ci.

« Parce que tu crois que l'on va te ré-allouer un budget pareil ? Alors que, cerise sur le gâteau, tous les échantillons que les GEMs avaient obtenus à Cascio-Ferro ont disparu ?

— Ils en trouveront d'autres.

— Non.

— Voire captureront un des dragons encore vivants sur cette planète.

— Encore moins.

— Je pense que notre cher Président t'en donnera l'ordre. Il veut un sérum de longévité fiable, et accessoirement son armée de super-soldats. »

Reno, souriant, retourna à son bureau et s'assit sur le bord.

« Non, Damian, c'est *toi* qui veux cette dernière, et tu avais bien réussi à lui vendre le Projet Dragon. »

Ranshin rit à son tour.

« Oh, avoua-t-il de bonne grâce, cela n'a jamais été mon objectif. Je t'en avais parlé il y a quelques années déjà, mais tu sembles l'avoir oublié. »

Reno le regarda, surpris et un peu méfiant.

« Explique-toi.

— Je veux créer un dragon pour le dresser et le forcer à m'obéir. Qui contrôle les maîtres des parasciences contrôle les parasciences elles-mêmes ! »

Reno ne fut pas vraiment étonné : Damian Ranshin était un vrai génie, avec l'hubris à l'avenant.

« Alors, continua ce dernier, une simple armée de surhommes, franchement… Mais voilà, le Président Benjamin avait aimé cette idée de super-soldats. Ils auraient été *ses* troupes d'élite, tant pour mener la guérilla chez les nains ou quelques explorations dans des zones à risques, qu'en tant que produit phare pour la RCE.

— Parlons-en, tiens. Les dernières études de marché et autres sondages d'opinion – tant chez nous que chez des clients potentiels – indiquent que des troupes dont les attributs draconiques seraient trop marqués provoqueraient un tel rejet qu'elles en deviendraient invendables. Les mentalités ont évolué, et pas dans le bon sens.

— Bah, soupira Ranshin. Est-ce grave ? Maintenant que le Président a vieilli, sa priorité a changé – tu sais qu'il *veut* cet élixir de longévité, et les dragons restent notre meilleur moyen d'en synthétiser un. Tant pis pour les surhommes, nous aurons un autre produit exceptionnel, c'est une certitude. C'est pour cela qu'il va nous ordonner de continuer.

— Je suis d'accord avec toi… mais sur certains points seulement. »

Reno se contenta de sourire en silence quelques instants, avant de se saisir d'une liasse de lettres, qu'il tendit à son interlocuteur.

« Tiens. Tu as là les rapports de la compta, les études de marché, et une lettre de Benjamin. Il a vraiment flippé en voyant les photos ; les rapports n'ont fait qu'enfoncer le clou. Le Projet Dragon et son armée de surhommes mutants sont définitivement enterrés. Quand à toi, je te suggère d'aller te reposer quelques temps chez toi, et de profiter de ta convalescence pour oublier tes fantasmes de dragon-éprouvette.

— Mais…

— Le sujet est clos. Le Département scientifique se débrouillera très bien en ton absence. Peut-être même mieux, Damian. »

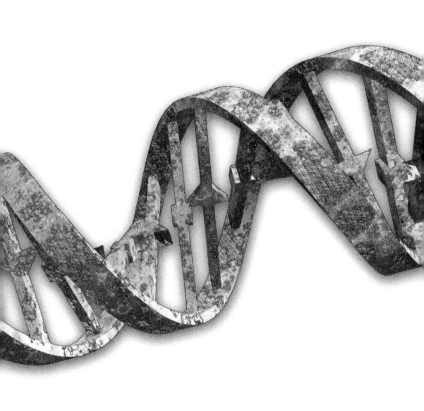

# ANNEXE :
# LE CALENDRIER
# D'ALIANDRIS

L'an 1 du calendrier remonte à la chute de l'Empire éternel, et plus précisément à celle de sa capitale Diervel, rasée puis reconstruite sous le nom d'Aliandris.

Son usage, d'abord limité aux anciennes terres dominées par l'Empire, s'est ensuite propagé sous le manteau pendant la Domination draconique. Le nom du mois d'Aliandris date de cette époque, quand la ville fut, à son tour, rasée par les Dragons.

L'année démarre à l'équinoxe de printemps et comporte douze mois, qui sont :

*printemps*
Libertas
Agrial
Festial
*été*
Calidor
Soliodore
Melnidor
*automne*
Vignaire
Syksaire
Frimaire
*hiver*
Noctôse
Aliandris
Lluviôse

# SEBASTIEN MORA

Géologue de formation et procrastinateur émérite, Sébastien Mora aime les univers de jeux de rôles, la musique extrême (il a écrit des chroniques musicales et des live-reports pour le webzine Metal Storm : www.metalstorm.net, en anglais), les bières artisanales, et les balades en montagne pour ramasser des cailloux qui brillent.

Son blog : https://msuniverses.wordpress.com/

Printed in Great Britain
by Amazon